JN024956

はじめに

　スウェーデンの首都ストックホルムの郊外の一軒家に、スウェーデン人の夫、11歳と17歳の娘の4人で16年前から暮らしています。

　日本で生まれ育ち、ラテンの国フランスで5年間暮らした後、さらに北上して北欧スウェーデンに落ち着きました。ゲルマン系のスウェーデン人は、日本人のように時間にキッチリしていて、規則を守る国民性がなんだか日本人に近いなあと感じます。

　長女をスウェーデンで、次女を日本で産み育ててみて思ったのは、スウェーデンはなんとも子育てがしやすい国だということ。基本的に男女平等の国なので、育児休暇も男女ともに取ることが義務づけられています。その育児中も国から給与の8割ほどが給付されるため、両親は安心してこどもと一緒に過ごす事ができるのです。

　そんなスウェーデンの良い部分や、日本人の私から見た驚きの一面などをこの本で少しでも紹介できればと思っています。そして旅行でスウェーデンに来る機会があれば、子どもを見守るあたたかな眼差しも心のお土産として持ち帰って頂けたら嬉しいです。

井浦ふみ

目 次

Kulturskillnad　文化の違い

真面目な気質は似ているけれど、何事にも大らか

　スウェーデン人は基本的に真面目ですが、まあ、それでも比較的いい加減なところもあるもので、長く住めば住むほどに色んな面が見えてきます。引っ越してきた当初は、夫の家族や友人達と一緒にいても、それほど大きな文化の違いを感じることはありませんでした。でも子どもを持つと、それまで知らなかった、もっとディープなスウェーデンの面が見えてきたのです。

　例えば衛生面の観念は大きく違います。日本人は除菌や殺菌などをこまめにしますが、スウェーデンではテーブルの上やキッチンの作業台に、パンを直接置いて、バターを塗るなんていうのは、ごく普通。それも自分の家ならまだ分かるけど、人の家や職場でも同様。ちゃんと拭いたかどうかも分からないところでスゴイ…私が神経質す

ぎ？と最初は思ったくらいです。

　そんな感性の違いは、幼児の頃から育っているようで、娘の慣らし保育の時に、こんな光景を目にしました。歌を唄った朝の集まりが終わった後に、朝のおやつとしてフルーツタイムが始まり、こども達と先生は円陣に座っていて、先生は小さなナイフでリンゴや洋梨をボウルの中で切り分けています。ほのぼのと眺めていると、それをなんと座っている子ども達の円の真ん中にポーンと放り投げました。皿などなくってそのままの床に！そして、そのフルーツに我先にとワーッと一斉に群がる子ども達。それはまさに猿山のサルに餌付けしているかのような風景。娘もまわりの勢いにのまれたのか、一生懸命に拾っているではないですか。その姿…。私は口をあんぐりさせ

たまま帰宅して夫にその話をすると「それが何？」と反応が薄い。「まあ、ちょっと汚いと言えばそうかもね」と特に驚きもしない。え？これって普通なの？とびっくりして、その件を日本人のママ友に話をすると、皆も「そうそう！うちでもあった！」と同じようにショックを受けた人が何人も。

　他にもこちらで最初に驚いたことと言えば、ベビーカーに乗せた子どもを極寒の雪の屋外に寝かすこと。例えば保育園の赤ちゃんのお昼寝が外だったりするところも。以前、親戚の家に呼ばれて行くと、庭にベビーカーが1台ポツン。あら？何であんなところに置いたままなんだと思ってに覗いてみるとスヤスヤ眠るベビーが。えええっ？！周りに誰もいないし、屋内から見てられる位置にもない所に置いてけぼり。つ

い心配になって家人に尋ねてみると、「外で寝かせるとぐっすり眠るし、外の新鮮な空気で鍛えられるのよ」との返事。確かにベビーカーには羊毛が敷きつめられ、しっかりした防寒具を着せているけど、本当に大丈夫？と心配になってしまいました。

　そんなこんなでスウェーデンのワイルド育児術は、初めて目のあたりにした時は戸惑ったものの、もともとが大雑把な性格の私には合っているかもとポジティブに受け止められるようになりました。よくいえば大らかで、のびのび。ここで文化の違いを受け入れられない！キイ〜っ！となると、ストレスの多い人生になりかねないので自分でちゃんと納得して受け入れていくのが海外暮らしのポイントじゃないかと思います。

Förlossning

スウェーデンでの出産

　私の初めての出産はスウェーデンでした。まずは地域の助産婦さんに連絡を取って検査日を予約します。日本と違うのは個人経営の産院というものがなく、産むのは大病院のみ。検診などをするのも病院ではなく、それぞれの地域にあるチャイルドケアセンターで、担当の助産婦さんがつきます。私の担当はフィンランド人のピルコ先生。まだその頃の私はスウェーデン語能力も低かったので、夫が付き添ってくれて出産までどういうふうにするかの説明等を聞きました。その時にバースプランを考えておくよう紙を渡されました。無痛分娩がいいのか、笑気ガスを使うのか、鍼灸を使うか、産む姿勢はどんな体勢が希望かなど、出産スタイルを自分で選べることに驚きました。ちなみにスウェーデンでは無痛分娩で出産する人が多いみたい。私は笑気ガス使用、そして夫付き添いの普通の出産を選びました。

　検診は特に問題がなければ月に一度行くだけで、エコー検査も基本的には妊娠中に一度だけ。また日本と違って妊婦の体重制限などがないので、スウェーデン人の妊婦さんはほとんどがどすこい体型。全然節制なんかしちゃいない。「妊娠して20kgも太っちゃったわ〜」なんて発言している人も少なくありません。

　私は順調に妊娠期間を過ごしたものの予定日から3週間を過ぎても陣痛がなく、周りからもまだかまだかとせっつかれ、私も相当腰がきつくなってきていました。そして、とうとう助産婦さんから「人工分娩に

しましょう」と提案があったその日の夜中に陣痛がやってきました。まず近くの大病院に電話すると幸い空きがあったのでタクシーを呼んで入院。空きがなければ遠方の病院になる可能性があると聞いていたのでまず第一歩はクリア。バカンスシーズンだと病院の職員が少なくて本当に遠方までたらい回しになるらしいのです。

痛みの感覚も狭まってきた頃リクエストをしていた笑気ガスを使うと、吸えば吸うほど何だかフワフワした気分。結局それから数時間待つことに。その間にも看護の担当者が次々と変わっては、その度に自己紹介して握手するのがとにかく辛い。「こんにちは!アンナです!」とかニッコリ握手を求めてくるもんだから、こっちもついつい「ふ…み…です…」と息も絶え絶えで愛想笑いする礼儀正しい日本人。ちなみにこの時の私はほぼ全裸です。

私は痛みよりも、まだ息んだらダメというのが一番苦しかったので、助産婦さんから「さあ、今から息んでいいわよ!」と言われた瞬間嬉しさのあまり笑ったら、助産婦さん達が私を見て「ちょっと見て!信じられない!この人笑ってるわ!」と驚きの

声をあげていました。後から思えば笑気ガスが効きすぎていたのかも?

出産後に「お腹空いたでしょう」と頂いたサンドイッチとジュースのトレイには、ちょこんと木製のスウェーデンの旗が立っているところが心憎い。普通初産だと2泊で退院するのが普通。私は出血が多かったので3泊入院でしたが、安産だと一日で帰らされるそうです。

6年後、2人目ミンミンの出産は大阪でした。毎回のエコーなど細やかな体調管理をして、行き届いた産院の対応など日本の丁寧なケアに感動しました。スウェーデンの時は産後1日見回りに来なかったのが、日本では出産時と同じお医者さんと同じ助産婦さんが付きっきりで診てくれて安心できました。しかも産院の食事はフレンチや懐石風のコース料理で、あのスウェーデンの味気ない病院食を思い出して、天国と地獄ほどの差を感じたものです。まあ日本ではそれ相当のお金も払っているので(出産補助金でほとんど払えたけど)当然と言えば当然でしょうけれど、2つの国の出産を経験した立場としては、私は日本に軍配を高々と上げたいと思います。

Pappa

スウェーデンのパパ

両親合わせて最大 480 日の育児休暇を活用

スウェーデンで「僕はイクメンです！」なんて絶対言わない方が身のためです。多分「それが何か？」と呆れられること確実です。それはパパが育児をすることは当たり前の国だからです。街中を歩けばベビーカーを1人で押す男性の数の多いこと！それにパパ友が連れだって歩くベビーカー軍団にも頻繁に出会います。日本ではまず見ない光景です。

それというのもスウェーデンには夫婦合わせて最長480日の育児休暇を取得できる制度があるのです。男性の育児休暇取得率はなんと90％近くで、比べて日本は2018年度で6％ほど。ここ数年で日本は少しずつ取得率がアップしつつあるようですが、やはり内閣の推し進めるイクメンプロジェクトの制度がなかなか生かされにくい環境が日本にはあると思います。

もちろんスウェーデンのパパ全員が育児に積極的かと言えば、決してそうではありません。日本同様奥さんに甘えて何もしない男性もやっぱりいますが、どちらかと言えば少数派。スウェーデンでは女性も仕事をして経済力もあるから、何もしない旦那さんに対して我慢などせず、離婚を選ぶケースも多いようです。

うちの夫はと言えば、子どもの育児に関しては私も頭が下がるくらい熱心です。遊ぶときは力いっぱい自分も楽しみながらで、夜寝る前の読み聞かせはどんなに疲れていても絶対にしてくれるし、つい厳しくなってしまう私よりも娘のわがままを聞いてくれる。私までもが、こんなパパって理想的だなぁと思うほどの満点パパぶりです。

Utflykt   子連れで外出

スウェーデンは子育てしやすい国

ラズベリー指人形
おいしいよ！

012

　断言します。スウェーデンは子連れ天国です。子どもを連れて外出しても、不便さを感じることがありません。不便さを感じるどころか、まさにいたれりつくせり。子どもを連れている方が優遇されるほど。スウェーデンと日本の両方で乳幼児を育てた経験を持つ私にとっては、その大きな違いにとにかく驚くばかりです。

　例えば交通機関。日本ではベビーカーでそのまま乗り込むのが大変ですが、スウェーデンのバスでは、ベビーカーを畳まずにそのまま乗ることができ、しかもベビーカー1台に付き、なんと大人が1名無料に。バス中央にベビーカーや車いすが数台分置ける専用のスペースがあるので、そこに直接乗り込めるようになっています。またバスの乗降口には特別なボタンがあって、それを押すと普通より長い時間ドアが開くの

で、ベビーカーの乗り降りがしやすいという工夫も。

　地下鉄の子ども料金は小学2年生からですが、家族で出かける週末になると12歳以下は無料になります。どの駅にもエレベーターが完備され、どんな場所のトイレにも（もちろん男性用トイレにも）オムツ替え台が必ずあります。

　道路はバリアフリーで、横断歩道にはベビーカーや車いす用のスペースがあって、段差がなくスムーズに移動することができます。外食する際も、日本やフランスのように子連れ禁止のところは今のところ遭遇したことがなく、美術館や博物館内のレストランやカフェだと瓶詰の離乳食があったり、それを温める用のレンジがあったりするところも。公共の場所には、スウェーデンの大型ベビーカーを楽々置けるような駐車スペースがあるので、どこに置こうかと心配する必要もありません。

　あと街ゆく人たちが、子どもと子連れの人に優しいことをひしひしと感じます。もしベビーカーが立ち往生などして困っていると、周りにいる人が自然にさっと手助けしてくれるし、子どもが車内で泣いても、顔をしかめる大人はここにはいません。誰もが子どもと子連れに寛容なのです。だから外出するたびに、社会全体が一緒に子どもを見守ってくれているような気持ちがしました。そのおかげで育児中も外出することが億劫ではなく、街中でママ友と子どもを連れて食事をしたり、一緒に公園に出かけたりできて、ただでさえ思い通りにいかない子育て中の私の気持ちをリフレッシュさせてくれました。日本もスウェーデンに見習うところが多々ありそうです。

Barnvagn

ベビーカーでどこまでも

スウェーデンでまずびっくりするのがベビーカーのデカさ！恰幅のいいスウェーデン人体型に合わせたのかと思うくらい頑丈そうで、日本では見ない類のサイズです。空気式タイヤのおかげで雪道や石畳の振動が極力吸収されて、中で寝ている子どもも心地よさそう。アクティブな親用に三輪のベビーカーがあって、森の中でジョギングしながらベビーカーを押している人も見かけます。これだけがっちりしているからか、結構大きな年齢（4歳くらい？）の子どもでもベビーカーに乗っているのを見ます。実際外出先で疲れて眠る子どもや、増えた荷物も収納できる大型ベビーカーはとっても便利。夏にはベビーカー用の日傘を付けられるし、冬には子どもが温かく過ごせるように羊毛マットを敷いたりと快適に使えるようになっています。横並びの双子用や前後に座れる兄弟で使えるタイプもありま

すが、サイズがものすごくデカイのはやっぱりスウェーデンならでは。結構高価だけど、その分の機能が申し分ないのがスウェーデンのベビーカーです。

またこんな大型サイズのベビーカーが許されるのはスペース的なこともあるだろうけれど、赤ちゃん連れに優しい環境が周りにあるからこそ。まずスウェーデンはどこの公共施設もバリアフリーは当たり前で、バスや電車などはベビーカー置き場が広々と取られています。地下鉄の駅には、メタル製のスロープもついていて便利です。ただ大型ベビーカーを急なスロープの上を押し上げていくには、北欧ヴァイキング仕込みの体力が必要だと付け加えておきましょう。

まだ私がスウェーデンに越して間もない頃、街中のテラスのある席に座って食事をしていた時のこと。2歳くらいの男の子と

ベビーカーを押す両親が一緒に歩いていました。きっと自分で歩きたくてベビーカーから降りたのでしょう。男の子が先頭に歩いて、両親はその後ろからゆっくりと子どもの歩調に合わせていました。街路樹のところで子どもは何かを見つけたようで、それを拾って遊び始めました。私は「きっと両親は、そのうちあの子をベビーカーに乗せて進むんだろうなあ」とぼんやりと考えながら眺めていました。でもそれから何分経っても、その両親は何か言って子どもをせかすことも、無理に遊びをやめさせることもしなかったのです。2人とも傍らで、ただずっと子どもがまた歩き始めるのを待っていました。私は自分の予想に反した夫婦の反応にひそかに感動し、自分の心に浮かんだ考えが恥ずかしくなりました。その時、自分もこういう余裕のある子育てができたらいいなあと思ったものです。

スウェーデン発の Thule のベビーカー

Park

公園

BARNVAGNAR
DIT ÅT →

LEKMATERIAL
HÄR!
↓↓↓

安心して遊べる遊具が揃った公園

　ストックホルムには、公園がいくつもあります。小規模なものから、ちょっと大掛かりの遊具が揃った公園まであって「今日はどこ行く？」と選べて便利。

　スウェーデンには塾もお受験もないからなのか、外で遊ぶ子はまだまだ多いように思います。公園にはブランコや滑り台など基本の遊具の他に、公園それぞれ個性のある遊具が置かれています。どれも色がカラフルだったり、デザインがかわいくてさすが北欧と感心。スウェーデンで約70年の歴史をもつヨーロッパ最大の公園施設メーカー HAGS 社は「子どもたちが安全に、かつ楽しく遊べるものはどんなものか」ということを真剣に追求している会社。ヨーロッパを中心に世界70か国以上に輸出されています。ただ安全だけにこだわるのではなく、転落事故を防ぐ工夫を持ちながら、子どもが遊びながら握力や知恵、身体能力、コミュニケーションなど「生きるために大切なこと」を学べるのが公園遊具の良さですよね。

　またスウェーデンの公園で感心するのは、大抵の場所で子どもが遊ぶコーナーと乳幼児のコーナーが分かれているところ。乳幼児コーナーは低い柵に仕切られて、親は安心してゆっくりと子どもと過ごせます。反対に動きが激しい大きな子どもは小さな子に気がねせず、思いっきり体を動かせます。大きな公園では三輪車やキックボードが借りられることも。

　ストックホルム市内で有名な大きな公園といえばヴァーサ公園。子供向けの小高い人工の山に、滑り台やミニトランポリンなどがあって子どもには大人気。街中の公園だけにお洒落な親子も多く、親子ウォッチングも結構楽しい。冬は屋外スケート場として賑わいます。公園近くにはカフェなども多いので、遊び疲れたあとは子どもとフィーカすると完璧です！

 ヴァーサ公園
Vasaparken
Dalagatan 11C, 113 24 Stockholm

Fika

フィーカの時間

スウェーデン人には欠かせないもの

スウェーデン人にとって「フィーカ（お菓子を食べながらの休憩時間）」は文化そのもの。古くから生活に深く根付いた習慣で、食事や睡眠などと同じように欠かせないものです。家や仕事場でも10時と15時はフィーカの時間。もちろんそれ以外の時間でもいいし、飲むのはコーヒーでも紅茶でもOK。

ちなみにスウェーデンは世界で最もコーヒーとお菓子を消費する国なんだそう。ベーシックなスタイルはコーヒーを飲みながら焼き菓子やケーキ、シナモンロールなどを組み合わせます。一緒にお茶をし、甘いものを食べることで打ち解け、会話も弾みます。まさに生活の中の一服。人間関係も円滑にしてくれます。怒りながら「お茶でもどう？」なんてことにはなりませんよね。

Kanelbulle（カニエルブッレ）

生地にカルダモンが練り込まれたスウェーデン発祥のシナモンロール。シナモンロールの日（10月4日）もあるほど、シナモンロールが大好きです。

Semla（セムラ）

カルダモン風味のパンの中にアーモンドクリームとホイップクリームを挟んだもの。復活祭の断食の前に食べるものの一つ。

Bostad

住宅事情

最初の難関は
スウェーデン式家探し

スウェーデン都市部の住宅事情はとにかく大変。システムが全く他の国と違うのです。不動産屋が扱うのは売り物件のみで賃貸はほぼなし。それでは賃貸用物件がまるっきりないのかといえば、そうではなく、賃貸物件は自治体などの機関が持っていて、借りたい人はそこにまず登録します。そして空きが出るまでひたすら待つ、という気の長いシステムなのです。その待ち時間は…驚きの平均4〜7年！もしその物件が気に入らなければ、また次の番が来るのを待って…と、まるで悪夢のよう。「自分が気に入る物件が選べるまでは、20年待つのも当たり前」と聞いて本当に目眩がしました。

そんな訳で、私がスウェーデンに越してきて、最初には立ちはだかった壁は住まいでした。私たちは両親宅に居候しながら非正規の又貸し物件を数か月間探しました。それでも全くラチがあかず、結局賃貸は諦めて小さなアパートを購入することになりました。もちろん希望通りのところがすぐに見つかることはなく、1年後ようやく街中に日当たりのいいアパートを見つけ、お手頃な値段でやっと購入。それから後に結婚をして、その1年後には子どもが誕生。アパートの周りはBarやレストランなどがある繁華街で、子どもを育てるのにピッタリな環境とは言えず、今度は一軒家探し。でも、もし気に入った家があったとしても、すんなり買えないのがスウェーデン。それはなんと「入札制」だから。不動産広告に載っている価格は入札開始価格で、物件はオークション形式でどんどん値段が吊り上ります。そのせいで私たちは何度も夢を見ては、何度も涙を飲みました。やっと入札に勝ち残り、築100年近い一軒家を手に入れたものの、以前の住人が改装した部分が実は欠陥だらけというガッカリなオチ付き。家を探すのも持つのも大変なのだと、身をもってしみじみ感じました。

私たちが家購入から数年経った頃、ストックホルムの住宅価格は驚くほど急騰し、地価は倍以上に。あの時、無理して買っておいて良かったと今更ながらに思います。数年前には思い切って庭の空いた場所に家を新築。古い方の欠陥だらけの家は潰し、今はストレスフリーな暮らしとなりました。次に引っ越しする時は老人ホームかも？

Mitt hem 我が家

ストックホルムの郊外にある我が家は、住宅街ながらも周囲には森や野原が残っていて、おかげで庭には鹿やキツネなどが毎日現れるような環境です。購入できたのは築100年近くの増築された一軒家と、もう一軒離れが付いた1300㎡の土地。大きな庭が希望条件だったので願いが叶いました。離れの一軒家は、前の住人自ら行ったというリノベートが腐食した壁基礎部分を隠すような工事であったことが住んでみてからはじめて明らかになり、色々悶着もあったけれど結局は泣き寝入り。後から、新居購入に当たって同じような詐欺まがいの手口で騙されている人も多いのだと耳にし

ました。若い私たちには痛い勉強代。それでも何とか自分達でできることをがんばり、義父にも手伝ってもらいながらあとは内装をするだけ…なのですが、時間がなくて結局10数年手つかずのまんま。

一方母屋の方はと言えば、だんだんと水回りに問題が出てきて地下の汚水が溢れるわ、2階のバスルームの水が流れなくなるわとこちらも散々。そんな時、私がふと冗談で言った「家を建て直して、別荘みたいな家に住みたいな」という一言で、夫が突然「家を建てるぞ」と宣言をし、家族をびっくりさせました。それからは具体的に夫婦で動き出して、「ニッケルファーディガヒュース

古い母屋と新築の母屋が隣り合わせ

ヤヤの部屋

新しいキッチンが気持ちいい

（できあい鍵付きハウス）」と呼ばれるツーバイフォーの家を中心にリサーチ。私たち夫婦はクラシックなスウェーデン西海岸スタイルの家が希望だったので、希望に近いデザインをしているアネビーハウス社の家に決定。決定後もストックホルムの建築許可証がなかなか下りず待たされること半年以上。また家を建てる時には最低半年は自分達がどこかに移り住まないといけないのですが経済的にも厳しいので、家に住んだまま、土地の空いてるところに家を建てるという驚きの計画を旦那が編み出しました。

新しい家は１階にオープンキッチンと食卓、居間を区切らず広々と取って、開放感のある空間ができました。今まで暗くて寒い地下にあったユーティリティも１階に。部屋は４つ。長女ヤヤは IKEA で自分好みの壁面ワードローブ棚を組み合わせて、中学生と思えないような大人っぽいインテリアにして大満足。次女ミンミンは今まで一番小さな陽が射さない部屋だったから、明るい大きな部屋に大喜び。私たち夫婦の寝室はウォークインクローゼット付き。もうひとつはゲストルーム。２階には小型のソファーを置いて、ちょっとしたＴＶコーナーも作っています。バルコニーは南向きで、チェアに座って太陽を浴びて寝そべるのがなによりも気持ちいいのです。

スウェーデン西海岸モデルの家

広々取ったダイニング部分

まだまだ出来上がらない離れ

DIY 週末は DIY

家具や棚はもちろん、 家まで作る

スウェーデン人の夫は DIY が趣味。家も作るし、指物も。はたして DIY と呼んでいいものか分からない、ほぼ大工レベルです。障子やテーブルなどの家具なども数日で作ってしまいます。子どもと一緒に大工仕事をするのが好きで、絵本を飾る棚が欲しいと言えば夫が作って、娘が色塗りするという共同作業。自分たちで一緒に作った物だと愛着もひとしおです。

ただプロとの違いといえば…すごく仕事が遅い。いや、作業が丁寧だからものすごく時間が掛かります。もちろん普段の仕事もしながらの余暇を使ってだから仕方ないけれど、それにしても遅い。プロだったら時給いくらだ？と問題になるレベルですが、素人だからその点は考えないことに。

元々家を買った時にあった離れは改築を余儀なくされましたが、大工仕事の師匠である義父とこの作業に取りかかり、作り始めて早15年。あとはシャワールームのタイル張りと水道、母屋からの地熱発電を引く作業が残るだけなのですが、未だ完成せず。母屋を新築したこともあって、庭整備が今の優先事項で、今は離れどころじゃないのです。しかも同時進行で西海岸の別荘に茶室まで作っています。見晴らしの良い巨大な岩の上に作っているものだから、基礎工事などが大変で、こちらも数年掛かってまだ未完成。屋根もふき、壁もできてそれなりに形にはなったし、内装に使う畳表や茶道具や掛け軸なども揃っているけど完成はいつのことやら。そんなあちこちの工事のおかげ（?）で家には工具が充実。さすがに我が家のようにドリルや小型セメントミキサーまである家庭は珍しいとは思いますが、日本人に比べると、家や庭のことは休みを使って自分たちで DIY するスウェーデン人は多いです。

Trädgårdsordling

ガーデニング

日々、ガーデニングのお手入れ

　スウェーデン人は庭仕事をするのが大好き。私たち夫婦ももちろん同様に好きですが、どちらかと言うと花より団子派なので、我が家では野菜栽培の方がメインです。新築後に夫が頑張って作った畑は木枠の箱を作って、そこに園芸用の土を入れて野菜を植え、四方を鹿避けの柵でがっしり囲んでいます。そう、鹿が野菜などを荒らしてしまうためです。鹿避けは高さが180㎝以上ないと意味がないそうで、見た目が仰々しいけど仕方がありません。畑になる木箱の高さがあるので屈まないで作業できるし、周りにウッドチップを敷いてなめくじ避けにもなっているので気に入っています。ガーデナーの大きな悩みの種は外来種の大型なめくじ。10㎝以上ある茶色や黒の巨大なめくじが花も野菜も食べつくすので、私は箸でつまんで地道に駆除。普段は畑仕事にあまり興味のない子ども達も、収穫の時だけはいそいそとお手伝いに励んでくれます。

かわいいけど
ガーデニングの
大敵の鹿！

＼ 夫の力作鹿避け完成！ ／

庭には 10 年以上前に植えたアスパラガスの苗が毎年大きくなっていき、林檎、ルバーブ、プルーン、赤、白、黒すぐり、ラズベリーにブラックベリー、いちご、野いちごなどとフルーツがいっぱい。子ども達は外で遊びながら、時々ベリーなどを摘んでは口に放っていて、それがおやつ代わり。夏の間にたくさんのフルーツや野菜が収穫できるので、友人や隣人などにもお裾分けしないと間に合わないくらいです。ちなみに林檎の木はスウェーデンのどこの一軒家にも必ずと言っていいほど植えているので、収穫期になると林檎の香りがあちらこちらで漂います（余談ですが、実が生り過ぎて庭に放置した林檎が発酵するとアルコール分ができて、それを食べた鹿が酔っぱらってよろよろして歩いているのもその季節の風物詩かも）。

寒冷地ストックホルムでのガーデニングの難点は、どうしても屋外での栽培期間が短いこと。4 月くらいまで雪が積もってい

ることもあるし、8 月に入るとすでに秋の気配。日差しが溢れるたった数カ月に向けて寒いうちから予定を組み、早いうちから家の中で苗を作っておかないと間に合いません。あんまり優雅なガーデニング生活ではないけれど、土を触っているといつしか心が落ち着いてきます。

Trädgård

庭

030

子どもを庭で遊ばせながら
大人はのんびりフィーカを楽しむ

なだらかな丘の斜面にあって、少し起
伏のある我が家の庭。大きな岩があった
り、大小様々な種類の木が生えていたり
と表情豊かで子どもが遊ぶのにぴったり
の場所です。

スウェーデンの典型的な庭というと、
綺麗に刈り込まれた青々とした芝生に、
美しく剪定された林檎の木が植えてある
すっきりとしたもの。野趣溢れる庭が好
みの私は、草をわざと生やしたまんまに
するのでご近所さんから「どうして草を
刈らないの？」と言われます。

庭の中心にあるのは大きなプラタナス
の木。いつからあるのか分からないけれ
ど、太い幹が頑丈なので、夫が小さな子
でも登れるようにと簡単な階段を作りま
した。四方に広がった太い枝には吊り下
げ型ハンモックを吊るしています。

夏になると空気式プールを膨らませて、姉妹でキャッキャと水浴び。またある時はお庭でお絵かき。あとスウェーデンの子どものいる一軒家の家庭なら、たぶん全員持っていると言っても過言じゃないのが何故かトランポリン。しかも数人が一度に跳ねることができるメガサイズが大人気。ちゃんと外に飛び出さないようにぐるりとネットで囲まれていて安全です。夏になると水着を着て、下から芝生用のスプリンクラーを作動させて、マット部分の隙間からミスト状の水が吹き上がるのを浴びながら跳ねるというアイデアも編み出したりして、友達が来ても一緒に楽しめるし、結果としていい買い物でした。

　あとスウェーデンのおじいちゃん、おばあちゃんが買ってくれたのは、木製の小さ

な遊び小屋。クラシックな外観もおとぎ話のようにかわいくて、中でごっこ遊びをしたり、夜には子どもだけで泊まり込んでちょっとした冒険気分も味わってみたりと活躍しています。

　私も庭のウッドデッキで外遊びする子どもの様子を窺いながら、本を片手にフィーカするひとときが何よりも心地よく、しあわせを感じる時間です。

Inredning

インテリア

ずっと飽きない
北欧クラシックスタイル

前住人が貼った黄色や水色などの壁紙で色に飽きていたので、壁は真っ白、床も温かみのあるグレイッシュホワイトの木材。落ち着いたニュートラルな白基調で、気分が明るくなるようなインテリアにしたいな、と思い描いて家作りを始めました。ただ、どこか一部の壁にだけ壁紙をアクセントに使いたいなとアイデアを温め中。新たに買ったのはソファーと食器棚だけ。あとは手持ちの家具をそのまま使っています。未だにライトなど色々と足りない物もあるけれど、時間が掛かってもいいから焦らず好みの品が見つかるまでは我慢するつもり。育てるような感覚でインテリアを楽しんでいます。

家具はデコラティブな物は好きじゃないので、北欧クラシックのものを。食卓は義両親から譲り受けた100年以上前のアンティーク、椅子はオークションで購入したギュスタビアンスタイルのピンストールと呼ばれる背が柵状のもの。元は洋服ダンスだったものに棚板を作り、品の良いペールグリーンに塗り替えた戸棚には、テーブルクロスなどのリネン類やボードゲームなどを仕舞っています。

キッチンはスウェーデンのメーカーVallingslöv のもの。他の家具と調和するようなギュスタビアン風のデザインと色（オイスターベージュ）を選びました。キッチンの吊戸棚は圧迫感があって嫌だったので一部分だけ取り付け、あとはオープン棚に。そこはどちらかといえば遊びの部分なので、カフェ風にお気に入りの紅茶缶などを並べています。ネットでたくさんのアイデアを見まくってつくり上げた集大成なので、キッチンは家で一番のお気に入りの空間です。

Färg och mönster
スウェーデンの色と柄

大きなアクセントになる
テキスタイル

　スウェーデンはデザイン大国でもあります。「北欧家具」や「北欧テキスタイル」は日本でも大人気。IKEAやH&Mなどをはじめ、今では日本の方が種類も多く手に入るのでは？と思うほど、日常的に見かけるブランドも多々あります。世界に誇れるデザイナーが多い理由には、国が人を育てることに力を注いで来たせいもあるとは思いますが、寒い冬の時期は家の中で過ごす時間が長いことも関係しているかもしれません。気に入ったものに囲まれて暮らすことへのこだわりや、模様替えで大きな役割を果たす布製品の色柄へのこだわり。自然への尊敬の念が強いのも日本人と同じで、自然をモチーフにしたデザインが多いように思います。

Ljugbergs
ユングベリ

1949年設立でハンドプリントにこだわる職人気質なテキスタイルデザイン会社。

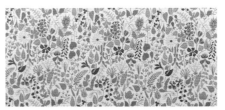

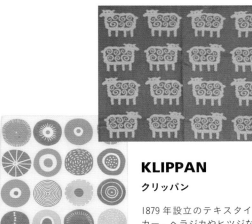

KLIPPAN
クリッパン

1879 年設立のテキスタイルメーカー。ヘラジカやヒツジなどをモチーフとした可愛い絵柄が人気。

Sandberg
サンドベリ

1976 年設立のテキスタイルと壁紙のメーカー。伝統的な職人の技術が感じられるデザイン。

almedahls

アルメダールス

1846 年の創業の有名なテキスタイルメーカー。日本だけでなく、世界中で人気。

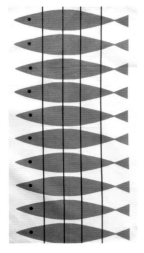

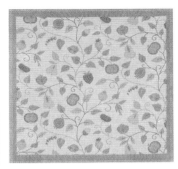

Ekelund
エーケルンド

1692 年設立の北欧最古のテキスタイルメーカー。伝統的な王室御用達のブランド。

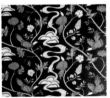

Borås Cotton
ボロースコットン

1870 年設立のテキスタイルメーカー。花や草など植物柄を中心に、モダンで大胆なデザイン。

Barnrum

子ども部屋

子どもの年齢とともに変化する場所

どこの国のどこの家でも同じかもしれません が、うちの子ども達は小さな頃は自分の部屋では遊ばずに、居間や食卓におもちゃを持ってきては遊んでいました。自分の部屋ならいくら散らかしてもいいけど、家族共有の場に次々とおもちゃが溜まっていく様子にストレスを感じつつも、2階の自分の部屋に一人でいる心細さも分かるため目をつむっていました。現在では大きくなった娘達を思えば、あのごちゃごちゃとレ

ゴや人形の洋服などが床に転がっていた時代も懐かしいものです。

初めて上の娘の部屋を作る時は、まず部屋の壁紙を張り替えました。古い壁紙を剥がしてグラスファイバー入りの塗装用壁紙を全体に貼って白で塗装、そして一面だけを青みがかったライラックピンクに塗ってみました。甘すぎない落ち着いたピンクの色合いで娘も大満足。次女のミンミンも自分の部屋も同じ色に塗って！とリクエストするので頑張りました。

部屋の家具はスウェーデンの家具量販店IKEAのもの。そして制作好きな私たち夫婦で、子ども部屋にも色んなものを作りました。ただ普通の白木の家具じゃつまらないので、全体に色を塗って引き出し前面部分にリバティの布を張ったオリジナルの洋

服タンスを作ったり、天井からのダウンラ
イトにはメタル製の電気の傘だけ買ってき
て、リボンや布を巻きつけ作り物の鳥をデ
コってみたり。また、私が設計図を描いて、
夫に壁に設置できる絵本棚を作ってもらっ
たことも。世界にひとつだけの物が子ども
には嬉しそうでした。壁にはメタルのフッ
クを取り付け、プリンセスドレスのコレク
ションを引っかけるなど、とにかく娘が大
好きなプリンセスのイメージの部屋を楽し
んで作っていました。

　子どもの年齢が上がるにつれ、友達と部
屋にこもって遊んだり、自分でなにやらこ
ちょこちょと工作したりとやっと部屋を活
用するようになりました。2人とも試行錯
誤して自分風に変えています。子ども部屋
の第二期に突入といった感じです。

Leksaker

おもちゃ

スウェーデンのおもちゃ事情

　スウェーデンのおもちゃメーカーといえば BRIO が有名。1884 年設立の老舗おもちゃメーカーでスウェーデン王室御用達。Micki はその後にできた会社ですが今でもスウェーデンで生産し、シンプルかつ作りのいいものです。どちらもレールのおもちゃが充実しているので、男の子には定番のおもちゃです。

　私も初めての子どもを授かった時は、やはり気合いが入っておもちゃはやっぱり温かみのある木の物を、と張り切っていたの

ですが、年齢が上がるにつれて、ついプラスチックのおもちゃばかりになってしまいます。子どもは派手な色で軽いプラスチック製のおもちゃに惹かれやすい、というのはどうも日本のことだけではないようです。

　年齢が大きくなってくると、娘はアイロンビーズにはまり、着せ替えのできる小さなシリコンの人形や、当時人気だったペットショップという色んなミニチュアの動物のフィギュアを集めるのに夢中になりました。男女共に人気だったのはビー玉。大き

さや色柄のバリエーションに富んだビー玉を集めては、友達と見せ合いっこしたり。スウェーデンでも日本のアニメは人気なので、ポケモンや妖怪ウォッチなど、そのままの名前でこちらの子ども達の間で流行っていました。ディズニーキャラやハローキティも人気だったけれど、よく考えたらスウェーデンオリジナルのキャラってほとんどいません。オリジナルグッズがあるのは、『長くつ下のピッピ』、あるいは『ロッタちゃん』シリーズに登場する"バムセ"など絵本から派生したものだけだと思います。おもちゃの種類や数でいえば、多分日本の方が多いと思います。

ただスウェーデンの場合は、今売っていないおもちゃで遊んでいることも多々あります。というのも子どもがだんだんおもちゃに飽きる年齢になってきても、この国では基本的に捨てることはあまりしません。親戚の子どもやお友達の兄弟、職場の同僚の子ども、もしくはフリーマーケットで売ったり、ボランティア団体に寄付することも多いです。我が家も近所には大型のリサイクルショップがあるので、いつもそこに寄付。使う期間が短い子ども用品は、皆賢くリサイクルするのがエコ先進国スウェーデン。家庭のゴミの99%がリサイクルやリユース、リデュースされています。

Gosedjur

ぬいぐるみ

　自分がぬいぐるみが大好きだったせい
か、子どもが生まれたら一生大事にしたく
なるようなぬいぐるみをあげたいと思って
いました。なにかのキャラなどではなく、
装飾性が省かれてなるべくデフォルメされ
てない物がいいなと考えていましたが、案
外ないんですね。夫が幼い頃に遊んで、ク
タクタになったドイツのシュタイフ社のぬ
いぐるみが手元にあるのですが、もう壊れ
そう…。上の子ヤヤがまだ幼い頃、ストッ
クホルムの屋外博物館＆動物園のスカンセ
ン（P89）の売店で出会ったのが、ほぼ実
物大の野うさぎのぬいぐるみ。ずしりと本
物っぽい重さもあるし、地味な毛色もリア
ルなもの。オランダ製のそのうさぎはプレ
ゼントしてその日から娘の相棒となって、
どこへ行くのも一緒。その後、贈り物など
でぬいぐるみをもらったりしたこともあっ
て、一時期ベッドの半分近くを占領してい
る事もありました。そしてティーンエイジ
に差しかかった頃、ぬいぐるみはすべて妹

044

のミンミンへと譲られました。ただ1匹の
野うさぎのぬいぐるみだけを除いては。祖
母がぬいぐるみを編んでくれることもあり
ます。

おばあちゃんが
編んでくれたミッ
フィー。ミッフィー
を知らないかった
ので、ちょっと変。

Present till nyfödd

出産祝い

　私がスウェーデンで出産した時にもらったプレゼントで、ひときわ心に残っている物があります。それは夫の同僚一同が贈ってくれたブーケ。ビタミンカラーの花々の大きなブーケの横に、リボンでちょこんと繋がれた可憐なミニブーケでした。これはお母さんとベビーがへその緒で繋がったイメージなんだとか。なんてかわいいアイデア！ その時ちょうど産後の肥立ちが悪く、滅入った私の気持ちが、このブーケひとつでパッと明るくなったのを思い出します。

　その他では新生児用の服や帽子など実用的な品々。もしくはおもちゃやベビーの目を楽しませるモビールなど。こちらではお祝い金などあげる習慣はありませんし、もちろんお返しもいりません。以前こちらの親戚に赤ちゃんが生まれた時に、出生した時間と名前を刻めるシルバーのスプーンを記念にあげたことがありましたが、今では古めかしい習慣のようで、最近はシルバースプーンをあげた、もらったという話はあまり聞きません。スウェーデンへ旅行に来ることがあれば、ちょっと日本では珍しいベビー用品を購入しておくと喜ばれるかもしれませんね。

ミンミンの出産記念に植えた桑の木。

Barnbutik

子どもの店

🏠 ECOSTOCKHOLM

Katarina Bangata 17, 11639 Stockholm
月〜金 11:00〜18:30
土 11:00〜17:00　日 11:00〜16:00

セーデルマルムの SOFO 地区にある、エ
コロジカルな製品だけを集めたベビーと
子ども用品の店。デンマークのデザイン
グッズを中心に、アースカラーのベビー
服、ブランケット、多種多様のマグや、
木のおもちゃなど品揃えの豊富さがポイ
ント。ベビーと自然に優しいものを選び
たい人、出産祝いなどのプレゼント探し
にも重宝するお店です。

DUNS の服などもたくさん！

1_ マグだけでこんなに種類が！ 2_ ほっとする優しい色合いの店内 3_ 何だか見た目が懐かしい天然ゴムとバンブー素材でできたおしゃぶり 4_ 優しいアースカラーで揃えたくなる 5_ ユーモラスなぬいぐるみも 6_ 木のおもちゃは素材も色もケミカルフリーで安心です 7_ 癒し系のウールのモビール 8_ ボーイズ下着も楽しいモチーフ 9_ コットンやウールのベビーブランケットも 10_ 添い寝にぴったり、エココットンのぬいぐるみ

Barnbutik 子どもの店

🏠 **KRABAT（クラバート）**

Kungsgatan 60, 111 22 Stockholm
月〜金 11:00〜18:00
土 10:00〜16:00　日 10:00〜15:00

ヨーロッパの厳格な規制と管理をパスした玩具だけを扱うおもちゃの名店。ハイクオリティ、長く使える、ケミカルフリーを信条に 1999 年に創業して、市内にもいくつか店舗があります。店内に入れば、子どもだけじゃなく大人も童心に帰れる楽しげなおもちゃがいっぱい。親子で夢中になることうけあいです。宝探し気分で、ゆっくり店内を見てみて！

049

1_ 子どもは絶対素通りできないお店！ 2_ 駄菓子屋さんみたいなディスプレイ 3_ 北欧らしいポップな色柄のオリジナルのベルベット生地は量り売りもOK。自作のぬいぐるみや洋服も作れちゃう 4_ 店オリジナルのベルベット素材のおもちゃ。赤ちゃんの手にぴったりサイズで、ファーストトイにおすすめです 5_ 見よ！この本格的な大工道具の数々。すべてミニサイズの子ども用。こうやってスウェーデン人のDIY魂は受け継がれていくのです 6_ 目移りするような店内。ぬいぐるみや抱き人形も豊富です 7_ ドレスやマントなど変身願望も満たせます

Barnprodukter

子どものモノのデザインと実用性

育児王国と言われるスウェーデンにはベビー用品や子どものアイテムもたくさん！　デザインもいいのですが、使いやすさや安全性、実用性、丈夫であること、製造過程であまりゴミを出さないなど、モノづくりにおいても子どもや親に対する愛を感じます。

\ BABYBJÖRN /

\ moz /

TWISTSHAKE

Maxomorra

H&M

Happysocks

Mini Rodini

Lipfish

Micki

BRIO

051

052

Farfar och farmor

スウェーデンのおじいちゃんとおばあちゃん

子どもたちを立派に育てたら、
老後は老人ホームでのんびり過ごす

スウェーデンでのおじいちゃんとおばあちゃんの呼び名は合理的。母は Mor、父は Far なので、母方のばあちゃんは Mormor、おじいちゃんは Morfar。父方のおばあちゃんは Farmor、おじいちゃんは Farfar となります。

　我が家の子ども達のおばあちゃんのエヴァは英語とフランス語の元教師。そのおかげで私がフランスからスウェーデンに越してきた当初、英語もスウェーデン語もままならない私をいつも助けてくれました。明るく好奇心いっぱいで、ちょっとおっちょこちょいだけど温かい人柄で、私もすぐに彼女に打ち解けることができました。エヴァはとにかく手仕事が好きなので、子ども達によくお菓子作りや毛糸の編み方、羊毛フェルトの仕方などを教えてくれます。草木染め、毛糸つむぎなどしていて自分の息子達や嫁、8人の孫達にニットのセーターをどんどん編み上げては贈ってくれます。女の子の孫全員は、おばあちゃん作の可愛いいちごのニット帽を何年も愛用。編むとなったらどこへ行くにも編み棒を手放さず、浜辺や小雨が降る屋外でも手を動かしています。

　そしておじいちゃんのホーラルドは質実剛健、実直な人柄で物事をキチンとしたがる性格ながらもユーモアがあって、孫達をからかうのが大好き。別荘に行くと、毎日皆においしい料理を作ってくれます。娘達はおじいちゃんの作ってくれるミートソースとブイヤベースが大好きで、リクエストに応えて大量に作ってくれます。おじいちゃんは動植物の知識が豊富なので、分からないことがあれば義父に聞けばだいたい解決。子ども達はおじいちゃんとも森にキノコ狩りに行っていたので、教わった豆知識を今度は私に披露してくれます。

053

いちごの帽子作りのため採寸中。

おじいちゃんとおばあちゃんちはインテリアも素敵。代々伝わるものを大事にしています

まるで美術館の内部

エヴァのお母さんが作った刺繍のティーコゼ

長椅子には古い織物。後ろの壁の模様は義母によるステンシル！部屋全部の壁にステンシルを施すのはすごく根気のいる作業！

スウェーデンの伝統的タイル張り暖炉

炭釜戸。
昔はこれで煮炊き

古い機織りも現役です

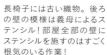

おばあちゃんのウールフェルト教室

これはおばあちゃんが紡いで、植物など
で染めた毛糸

牧場から羊毛を買って
カーダーでほぐします

おばあちゃんの木製裁
縫箱。蓋にペイントが

　祖父母はなんと高校の同級生同士のおめでた婚。もう結婚して60年のダイアモンド婚です。長く連れ添っていると喧嘩もあるけれど、お互いがなくてはならない存在。いつも一緒に行動しています。

　現在2人は老人ホームに住んでいます。日本で老人ホームに入るというと何となく後ろめたさが漂いますが、スウェーデンでは多くの人が老人ホームに入ります。親が子どもの世話になるという感覚がなく、日本のように親子が同居することがほとんどないので、親が自主的に老人ホームに入るのが一般的。お互いに干渉されたくないというのもありますが、スウェーデンは福祉大国でもあるのです。そしてちゃんと個人のライフスタイルが尊重されます。祖父母が入っているホームにある温水プールは毎週土曜に家族向けに開放されているので、子ども達は毎週そこへ泳ぎに行っています。泳いだ後はおじいちゃん、おばあちゃんの部屋に行くのがお約束。なぜなら2人は孫達のために冷凍庫にアイスクリームを爆買いして待っているんですよ。

Hushållsarbete

家事

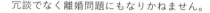

家事をするのは夫婦ともに、が当たり前の国スウェーデン。共働きが一般的なので、できる人ができることをするのが暗黙の了解になっています。もちろん仕事の具合などで差が出たりすることはあるけれど、どこかでバランスを取るようにしています。九州で生まれ育った私には、男性が料理、洗濯などすることが驚きでした。日本の中でも特に「男は厨房に入らず」という気質の強い九州男児の父などを身近に見て育ってきましたから。実際日本の私の実家の法事などで親族が集まった時、男性陣は全員どっかり座って飲み食いし、女性陣は細々と立ちまわって食事やお酒の準備をする光景を見ると、夫や娘たちは「信じられない！」と驚きます。確かにスウェーデンでこれをすると、

冗談でなく離婚問題にもなりかねません。

家事は折半が当たり前のスウェーデンでも私の夫は特にまめ男。普段の食事は先に帰宅する私が用意することが多いので、週末になると私はソファーで寛いで夫の食事ができるのを待つのみ。料理好きの夫にとってはストレス解消になるらしく、私も助かり一石二鳥です。昔から義父が毎日の料理をしていたそうで、それが影響しているのかも。他にもパン作り、寝る前の子どもへの読み聞かせは彼担当。その代わりに掃除はてんでダメですが、そこは私がやるので問題なし。家事は子ども達にも参加してもらうようにしています。と言っても簡単なゴミ捨てくらい。末っ子ミンミンは食卓の準備をよく手伝ってくれて、器やカトラリーの並べ方も上手になってきました。

Barnuppfostran
しつけ

自分自身が子どもを持つと、自然と他のスウェーデン人の子どもと接する機会も増えました。個人的に感じたことは、子どもがとてものびのびしていること、そして同時にあまりにしつけがされてない子どもが多いように感じます。日本だったら幼稚園で習うような、挨拶や片づけいった基本的なしつけも、あまりされてはいないような。だから日本風のしつけをする私は、厳しい母親だと思われていると思います。ベッドに寝る時は靴をはいた足を枕に、なんて世間一般でダメなことをやってのける『長くつ下のピッピ』は、スウェーデンの子ども達のヒーロー。実際、娘も真似してやっていました。

スウェーデンのしつけを語る上で大きなことと言えば、家庭内、そして学校でも体罰は法律で禁止されていること。自分の子

\ テーブルに足はのせない！ /

どもが悪いことをしたからと、頭を軽く叩くのもなしです。もし誰かが子どもに体罰しているのを見かければ警察に連絡できるし、子ども自身が通報することもできます。ここもかつては体罰が普通にあったそうですが、1958年には学校での体罰、そして1979年にすべての体罰を禁止する法律ができました。

"子どもは世話と安全と質の良い教育を受ける権利がある。子どもはその人格と個性を尊重して扱われるべきであり、体罰やその他のいかなる不快な扱いを受けてはならない"―子どもの人権と、暴力などで引き起こされる心の傷を考えて、世界で初めて作られたのがこの子どもへの体罰禁止法でした。日本でもスウェーデンが歩んできた道に今後もっと目を向けられることを願います。

Genus

ジェンダー

男の子だから、女の子だから、なんて言わない

スウェーデンは基本的には男女平等の国。男らしさや女らしさなんて言葉は誰も使わないし、そもそもそんな意識もなさそう。

以前こんな光景に出くわしました。スウェーデン人の女の子が重たい物を運んでいて、日本人の男の子が持つのを手伝おうとすると「なぜ？ 私もできるわよ。女だから弱いと決めつけないで」とピシャリ。彼女の一言に、やっぱりスウェーデン人だなぁと思ったものです。私自身は一般的に実際に性差はあるのだから、差別と考えず区別として受け入れるべきではと考えています。

そんなジェンダー問題ではかなり進んでいるスウェーデンでも、身近な子どもの世界でいうと、女の子は赤やピンクの色を選び、男の子は青や緑が好きというステレオタイプの考えは残っています。実際、服の

売り場は見事に色合いが分かれています。そういえばこんなことがありました。毎年クリスマス時期になると、各家庭におもちゃ屋のカタログが配られます。子ども達はそれを見て、その年のプレゼントのリクエストを考えるのですが、そこではいつもはおままごとセットには女の子が、消防士さんの恰好をして消防車で遊ぶ男の子などの写真が載るのが常でした。それがいつぞや問題になって、数年前に変化が起こりました。スーパーヒーローの恰好をした女の子や、おもちゃの掃除機をかけている男の子。ジェンダーフリーの団体が抗議した結果ですが、それ以降は毎年そうなっています。この国でも少しずつそういった変化があるのです。

私が働いている保育園に、女の子の恰好が好きな男の子がいました。ピンクのプリンセスのドレスを毎日着てきて、私たち大

人が「可愛いね」「似合ってるね」と言うと、とても嬉しそうにしていました。ところがある時からプッツリと彼のドレス姿は見られなくなったので、もしかしたら周りの子が冷やかしたのかも？と思って担任の先生に聞いてみたら、全くそんなことはなく、他の子たちも彼のドレス姿を褒めていたんですって。止めたのは単に本人が飽きただけみたい。でも日本だったら、こうはいかないな、と思ったりもします。

我が家は娘2人。上の子が産まれた時、男系一家の夫の一家はずっと女の子が生まれなかったので、それはそれは大騒ぎ。初めての女の子の孫を授かり、義両親は喜んでいました。それから義兄は娘の誕生プレゼントに、女の子だから人形とかをあげるのは嫌だと言って、いつも車やロボットなどをくれましたが、人に何かを言われた訳でないのに娘はそのおもちゃで遊ぶことは

ほとんどありませんでした。それが不思議で不思議で、もしかして本能的に何かやっぱり組み込まれているのかな？とも思ってしまいます。

ともあれ、本人が周りの影響を受けずに好きなものを好きでいられることが一番大事ですね。そして、ここはそれが周囲に認められる国です。

BVC

BVC（乳幼児保健センター）

　スウェーデンでは0歳から5歳までの子どもは、BVCと呼ばれる自分が住んでいる地域の乳幼児保健センターにお世話になります。定期健診や予防注射などの他に、子どもの具合が悪い時は医療センターに行く前にBVCにコンタクトを取り、担当の保健師さんに診てもらいます。スウェーデンには母子手帳はなく、代わりに黄色の二つ折りのカードに身長や体重、すでに受けた予防接種などの必要情報が書き込まれます。予約した日に行けば、毎回担当の保健師さんに子どもの健康からいろいろな心配事までゆっくり個別で相談できるので、新米ママには心強い味方です。

　出産して8週目頃までは毎週行って検査をしますが、そのうち月1回に変わり、数カ月に1回とだんだん間隔をあけていきます。視力、聴力検査から言葉の成長など知能の検査もするので、何か問題があれば、そのまま医療機関を紹介してもらえます。検査するのは顔見知りの担当医さんので

子どもも怖がらずリラックスしています。うちも6歳になってBVCに行く機会がなくなると、成長が嬉しいような、でもちょっと寂しい気持ちになってしまいました。

Föreldrarpänning

働く親の味方

今、私はある保育園のキッチン担当で働いています。配膳や片づけ、消費物の管理と発注などを1人でやっています。約60人の園児に10人ほどの職員。結構な仕事量なので、毎日がバタバタと過ぎていきます。

クラスは0歳から2歳前後の青組さん、3、4歳の緑組さん、4、5歳の黄色組さんの3グループに分かれています。保育園があるのは特に外国人移民が多い地域。親子共々スウェーデン語が喋れない状態で入園する場合も多く、保護者と保育士の意志の疎通が難しいこともあって、園もアラブ語圏の保育士さんを常に数人確保しています。園では食堂に大きな世界地図を貼っていて、そこに在籍している子ども達の出身国と国旗を張り出しているのですが、こんなに色んな国の子ども達がいるんだと驚き、子どもの言動などで文化の違いを感じることが多々あります。

園で働いている職員は正社員とパート契約の2種類。その中でも正式に保母資格を持った人、もしくは保育補助の資格を持った人とでは仕事内容から給料などの待遇が大きく違います。比較的短期で資格が取りやすい保育補助に外国人が多いのはそんな理由から。日本と同じく、保育園での仕事はハードな内容の割に給与が低く、いつも慢性の人手不足。寒い時期は子どもの病気がうつって職員が休むことも。正社員が病欠の場合、初日は無給ですが、2日目からは給料の80パーセントが支給されるシステムがあります。病気が完治するまでしっかりと休むことができるし、経済的な心配も減ります。また自分の子どもが病気の場合も、その子が12歳以下であれば、VABと呼ばれる制度が利用でき、休む初日から給料の80パーセントが保険庁からもらえます。働く親にとっては力強い味方になってくれる制度です。

Förskolan

保育園

いろんなタイプの保育園がある

「Förskolan」は直訳すると、「就学前学校」つまり保育園のこと。基本1歳から5歳までの子どもが入れて、親の就労時間などによって預かり時間などが違います。入る条件も自治体によって違っていますが、働いていない、もしくは学生ではない親は預けることができないことが多いのは日本と同じ。通園費は各家庭の所得額や預け入れ時間によって違いますが、最高でも約15,000円前後。スウェーデンは待機児童ゼロとよく言われますが、それでも街中や人気の保育園などは待つこともあります。その場合は諦めて別の保育園に行くか、別の保育園に行きながら人気の園の空きを待つなどの選択肢もあるそうです。でもストックホルムの街中などはベビーブームがずいぶんと続いていて空きを見つけるのも難

しいみたいです。我が家の場合は私が求職中で家にいたので、長女が2歳になった時に保育園へ入れることにしました。ファミリーの多い住宅街なので、近くには大小、公立私立の結構な数の保育園がありました。保育園選びは一大事。私たち夫婦で近所の公立の大きめのところから、こじんまりとした私立の幼稚園、もしくは一軒家を改装したアットホームな少人数制の保育園などをじっくりと見学しました。それぞれの個性があって、見学するほど迷ってしまいました。最初に希望したのは公立の小学校付属の保育園だったけれど、この一帯では一番人気らしく空きがなく、結局、家から歩いて10分ほどの素朴な雰囲気の私立の保育園へ。木造園舎の大き過ぎない規模や、感じのいい年輩の保育士さんがいたこ

と、そして何よりも気に入ったのが、1週間に最低一度はすぐ横の森で遊ぶということでした。入園すると、まず最初の約1週間を親も一緒に過ごす慣らし保育期間があります。担任の先生から保育園で子ども達が安心して過ごせるようにと親が布人形を作らされました。付き添いがお父さんだったりすると、生まれて初めて布人形を作ることになり苦戦。皆で手伝ってあげたりすることで、親同士も自然に打ち解けれるという効果もあり、なかなかいいなあと思ったものです。

長女のヤヤは園の生活にはすぐ慣れたものの、朝お別れする時に毎回泣いて、先生も「大丈夫。そのうち慣れますから」と言ってたのに、結局2年間毎朝ずっと泣き通した強者。その度に後ろめたく心を痛めていた私（と言っても、娘はしばらく泣いた後はケロっとして友達と遊んでたらしいけれど）。担任の先生は定年間近のおばあちゃん先生2人。ギターで弾き語りが上手な先生など、ベテラン陣が揃っていたので、親も安心して預けることができた園でした。

次女ミンミンは人気の学校付属の公立に入れたのだけど、同じ年齢の子のクラスに空きがなく、なんと1歳年上のクラスに入れられてしまいました。1クラスだいたい15人前後で、先生は1クラスに3人。ミンミンは次女らしい楽天的な性格なのか、慣らし保育の途中4日目くらいには先生から「大丈夫そうなのでお母さん家に帰っていいですよ」と言われるほど。恐る恐る「じゃあママは家に帰るね」と言うと、「バイバ〜イ！」と振り返ることなく手を振るアッサリした娘。ヤヤとのあまりの違いにこっちが唖然とし、これはこれで何だか寂しい母でした。こちらの保育園は建物も近代的で、天窓から燦々と光が入るアトリエルームは、子ども達がいつでも創作活動ができるように道具類が揃えられていて居心地の良さそうな空間。ランチやおやつを取る食事コーナーは小さめだったので、交代制の少人数グループに分けられて、小さな子どもでも自分で食事をよそえるように先生が付き添って指導していて感心しました。どちらの園でも素敵な先生達に出会い見守られて、子ども達はのびのび育って本当に感謝しています。

スウェーデンでは保育園の他には、個人の家を使って5〜6人の子供を1〜2人の保育士がみる「Dagmamma（ダーグマンマ）」というところもあります。ダーグマンマはちゃんと保育士の資格を持って、自治体に登録するのが条件。少人数なので、子ども達が落ち着いた環境で幼児教育を受けることができます。

Födelsedag

誕生日

スウェーデン流の
誕生日の祝い方

　スウェーデンは誕生日のお祝いの仕方が独特です。まず誕生日を迎える人の寝床にこっそりとプレゼントとケーキをたずさえて行って、誕生日の歌をうたって起こします（！）。

　プレゼントはその場で開けて、そのままベッドでケーキを頂くというのが本来の方式らしいのですが、我が家はプレゼントを開けた後は、家族そろって食卓でケーキを食べるようにしています。だから誕生日の当日はどんなに早く目が覚めても、ケーキのホイップを泡立てる音や食器がガチャガチャする音が聞こえてきても、絶対に寝たふりをするのが礼儀というもの。

　ヤヤが小さい頃、自分の誕生日が待ち遠しくって家族が起こしにくるのが待てず、一旦親を起こした後、再度ベッドで狸寝入

りしたのを思い出します。興奮で頬を紅潮させて、頑張って寝たふりをする子どもの姿のほほえましくてカワイイこと！ 食卓にはお祝いのデコレーションをすると、気分も盛り上がって喜んでくれますね。

　そして我が家と親戚の場合は、大人であろうと子どもであろうと、誕生日の夜は親戚を招待してケーキを振る舞います。夫は4人兄弟で皆近くに住んでおり、集まる人数も多いので、毎回ケーキが何台も必要。兄弟とその妻、子ども達、義両親などそれぞれの誕生日をその都度お祝いするので、ほとんど毎月のように誰かの誕生パーティーがあって忙しい。皆で集まると、一斉に誕生日の歌をまた歌ってお祝いするのです。小さな子どもにはおもちゃや絵本をプレゼント、ティーンエイジャーになると服

や商品券、お金の方が喜ばれます。大人同士のプレゼントは欲しい物を聞いておいたり、高価でなくても本人が好きそうな物をチョイス。私は色んな球根の詰め合わせをもらった時が嬉しかったですね。

　保育園では、当日に先生が誕生日の子どもをお祝いしてくれます。長女ヤヤの時は、親がケーキやアイスをおやつの時間に合わせて園に持って行き、そこでクラスのお友達と誕生パーティー。ただこの習慣も少しずつ変わってきて、ミンミンの頃からは、甘い物を園で出すのはよくないという意見からケーキ禁止のところも増えてきたので、ちょっと残念な気もします。

　スウェーデンの誕生日の歌を紹介します。女だったら hon、男だったら han で歌います。なかなか面白い歌詞です。

Ja, må hon(han) leva!
そう、彼女は生きるよ！
Ja, må hon(han) leva!
そう、彼女は生きるよ！
Ja, må hon(han) leva uti hundrade år!
そう、彼女は 100 歳まで生きるんだよ！
Javisst ska hon(han) leva!
もちろん　彼女は生きるよ！
Javisst ska hon(han) leva!
もちろん、彼女は生きるよ！
Javisst ska hon(han) leva uti hundrade år
そうさ、彼女は 100 歳まで生きるとも！！

スウェーデン語で誕生日おめでとう！
Grattis på födelsedagen!

Barnkalas

子どもの誕生日パーティー

子どもが中心のパーティー

お友達を呼ぶ誕生日パーティーは、とにかく親の頑張りの見せどころ。会場は自宅や公民館を貸し切ったり、もしくはボウリングや室内アスレチックに招待などと色々。以前、クラスの中で数人呼ばれなかったことが発覚して問題になり、保育園などではなるべくクラスの同性の友だち全員、もしくはクラス全員を呼ぶようにしようと不文律が生まれました。そのくらいスウェーデンでは誕生日パーティーに子どもたちを呼ぶ、というのは一般的なこと。

さてパーティーの開催が決まれば、親は企画を考えるのに頭を悩ませます。子どもたちを喜ばせるべく、数日前から準備を始めます。招待された子ども達はここぞとばかりにおしゃれして、パーティー用ドレス（普通にH＆Mなどで売ってる）を着て親に連れられてやって来ます。2〜3時間後に迎えに来てねと親に伝え、その後は子ども主役のパーティータイム開始です。

しっぽ取りゲームや、ダンスの途中に音楽を止めたら動きをすぐに止めねばならないダンスストップゲームなど、体を使ったゲームが中心。夫が考えた風船割りゲームも子どもたちに人気でした。それは事前に風船に色んな色や大きさのビー玉を仕込んでおいて膨らませ、板にうちつけて交代でダーツの矢で割っていくもの。ビー玉が景品なので子どもたちも大興奮！　ゲームの後は一旦落ち着かせて食事。簡単な定番メニューに、私の場合はスウェーデンにはない手作りのシフォンケーキや、デコった段々重ねのケーキを出すと歓喜の声が上がって私も鼻高々。

会の終わりにはスウェーデンの子どものパーティーお約束の「Fiskdam（釣り堀）」で締めます。棒に紐をつけてお菓子の入った袋を釣り上げる遊びで、小さな子ども達はこれが大好き。帰り際に「今まで行った中で一番楽しいパーティーだったよ！」と親に話している姿を見て、ヘロヘロになった夫と二人でガッツポーズ。親の報酬は子どもの笑顔です。

Musik

子どもと音楽

スウェーデンは
音楽好きにもいい国

　義母のピアノは、彼女が幼い頃に所有していた小型ヨットを売ったお金で買ったという、木目が美しいスウェーデン製のピアノ。いつもピアノの譜面台には童謡本が置いてありました。"スウェーデン童謡の母"とよばれるアリス・テグネールが、エルサ・ベスコフと共同で作った楽譜付きの本です。私がスウェーデンに越してきたばかりの頃、同居していた義母がよく弾き語りをしてくれました。私もその素朴で明るい曲調が気に入って同じ本とＣＤを購入してよく聴いていました。

　自分に子どもが産まれると、一緒に本を見て歌ったり、ドライブの時にＣＤをかけて愛聴していました。義両親は数年前に老人ホームに入居したので、その際に私たちが義母のピアノを譲り受けたのです。うち

に来ると義母は真っ先にピアノに駆け寄って、昔からそうしていたように気持ちの向くままメロディーを奏でます。その姿を見ると、義母が幼い娘達をひざにのせて、一緒にピアノに合わせて歌っていたことを思い出すのです。

　スウェーデンには絵本の物語から作られた音楽ＣＤがいくつもあります。聴いてみるとどれも美しいメロディーだったり、子どもが好きそうなナンセンスに溢れる歌詞だったりと侮れません。子どもが大きくなった今、時々懐かしくなって聴いては子ども達の幼い頃を思い浮かべてしまいます。

私たち夫婦が音楽好きなので、家や車の中ではいつも何かしら音楽が流れています。以前は集めていたＣＤを中心に聴いていたのですが、最近はSpotifyというスウェーデン発のストリーミング配信サービスばかり使っています。月額払えば新旧混ざった4000万曲以上が聴き放題！それまで子ども達はYouTubeで曲を聴いていたけれど、子供向けでない動画まで出てくるのが心配でした。だからSpotifyで音楽だけを聴けるようになって私達もひと安心。さすが今どきの子どもで、プレイリストなどもしっかり使いこなして楽しんで大人顔負けです。

　もっと身近に音楽を楽しむ機会と言えば、やっぱりコンサート。ストックホルムの夏の風物詩のひとつが、遊園地での野外コンサートです。何と遊園地の入場料だけで有名アーティストのコンサートが聴けちゃうのです。年間パスでも買おうものなら、期間内に行なわれるコンサートに行き放題。スティングやロバート・プラント、レニー・クラヴィッツ、ボブ・マーリーやポール・マッカットニーなんて大物が来ることもあるんですよ。それが年間パスの金額3000円ちょっとで何回も聴けるんですから！　普段は子どもを連れて行きづらいロックコンサートでもここなら大丈夫。うちの子達も、幼い頃からコンサートに連れて行ってロック好きに洗脳中。子どもと一緒に、好きな音楽を楽しめるなんて最高の環境です！

Konst
子どもとアート

子どもが好きなように
好きな発想で描けるように

　子どもが描きたい時にぱっと絵を描ける
ようにと、食卓横の引き出しには絵の具や
クレパス類、画用紙や筆、印刷に失敗した
コピー用紙などを置いていました。すると
子どもは自分で好きなように道具を取り出
して、テーブルはもちろん、床の上、幼い
頃だと外でオムツやパンツ一丁で絵の具の
汚れも気にせずお絵かき。のびのび一生懸
命に絵を描く姿がかわいくて、そんな時は
まさにシャッターチャンスです。もうちょ
っと年齢が大きくなると、キャンバスに油
絵で描きたがったので私の道具を貸して庭
で絵描き気分。とにかく子どもが描きたい、
作りたい！の気持ちが消えないよう工夫し
ていました。描いた作品はいったん居間に
飾って、その後はすべて残すことはできな
いので選抜。日付を入れてファイルに保管
しています。

Påsk

ポスク（イースター）

暮らしやお祭りの中にあるアートとクラフト

「Påsk（ポスク／イースター）」の季節がやってくると、街の中には
ひよこやうさぎのデコレーションがあふれ、花屋の店先には真っ黄色
の大きなポスクリリー（ラッパ水仙）が咲いて一気に春の訪れを感じ
させます。この時期になると、子どもと一緒にポスクの飾りを作った
りする楽しい時期。一番のシンボルとなるのはやっぱり卵。カラフル
に色付けをしたり、柄を描いたりするのが毎年の楽しみです。

ポスク休暇になると、我が家は親戚と一緒に西海岸の別荘に集まってお祝い。家の中には黄色の飾りつけをします。ポスクのお料理は卵料理、ニシンの酢漬け、ポテトなど、スウェーデンの基本的なお祝い料理。こうしたメニューは夏至祭、クリスマスと同じものです。

　子ども達の楽しみは2つ。1つはハロウィンみたいにお菓子をもらいに近所のお宅訪問すること。その時に子ども達は「Påskkärring（ポスクシャーリング）」という魔女のおばあさんの恰好をします。ポスク直前の木曜日に、国中の魔女がほうきに乗って青い丘を目指していくという言い伝えがあるのです。エプロンをつけてスカーフでほっかむり、ほっぺは赤くぬってそ

ばかすをちょこちょこつけて魔女のできあがり。そして手作りカードを手に近所の家を周るのです。我が家でも近所の子ども達がいつ来てもいいように、カゴにお菓子をどっさり準備しておきます。日本でもこんな行事があれば、近所の子どもたちとの関わりが深まって楽しいかもしれません。

　もうひとつのお楽しみはポスクエッグ・ハンティング。この時期に売られている紙製の卵型の入れ物にお菓子を詰めて、それを家か屋外に隠しておいたのを、子どもたちが探し出すゲームです。子ども達が我先にと真剣に探し回る表情を見るのが毎回楽しみです。たまに大人も一緒に参加すると、童心に帰ってもっともっと盛り上がります。

お菓子を入れてもらうカゴを手に意気揚々とご近所巡り。ポストカードも力作ぞろいです。

Barnböcker

絵本

世界中でロングセラーの
絵本作家の原点

日本でもエルサ・ベス
コフの絵本は長年に渡
り人気。『もりのこびと
たち』『ペレのあたらし
いふく』（ともに福音館
書店）などが有名です

　スウェーデンで代表的な絵本作家と言えばエルサ・ベスコフ。スウェーデンの自然や文化にファンタジーを加えた世界は、かわいいけどちょっぴり怖い、北欧独特の雰囲気が持ち味です。彼女が絵本を最初に作ったのは 1897 年。それからいまだに親しまれ、何世代にも渡って愛され続けているのはよく考えたらすごいことですよね。我が家にも義理の曾祖母の時代の古いベスコフ絵本がありますが、その本をおばあちゃんが孫に読んでくれる姿はしみじみいいものです。他にも『ニルスのふしぎな旅』のセルマ・ラーゲルレーヴ、『長くつ下のピッピ』のアストリッド・リンドグレーンなど女性の作家が有名です。

　ちなみにスウェーデンは図書館が充実していて各地域に必ず図書館があり、子ども向けの読み聞かせの会や時節に合わせたイベントも盛んです。図書館司書の友人の図書館では、子どもが本に親しんでくれるようにと希望者の自宅まで行って読み聞かせをするという試みも。

　我が家には日本語とスウェーデン語の絵本がたくさんありますが、スウェーデン語の本は保育園や学校で読むだろうからと、家にある絵本は大半が日本のもの。少しでも日本語に慣れ親しんで欲しいので、子どもが幼い頃は絵本の読み聞かせは夫と交代で読んでいました。次女のミンミンは今現在 11 歳ですが、パパが寝る前に一緒に本を読む習慣は未だ続けています。こちらではこのくらいの年齢の子どもに絵本を読んであげるのは普通のこと。文字が読めることと、読んでもらうことは別。本を通して親子の密な時間を持てるのは、きっとあとから宝物のような思い出になるだろうと思います。

Barnens bokhandel

子どもの本屋

ストックホルムにある、おすすめ児童書専門店と
大型書店の子ども向けコーナーを紹介します。

🏠 Bokbok

Östgötagatan 32, 116 25 Stockholm　📞073-509-0863
🕐月～金 12:00～18:00　土 11:00～16:00　日 12:00～16:00

セーデルマルム SOFO 地区にある小さな本屋さん。狭い
ながらも壁いっぱいの絵本や童話の山に囲まれると、子
どもも大人もわくわくすること間違いなし。書店正面のウ
ィンドーには店主おすすめの本や雑貨が並んで楽しい雰
囲気。店内では時々読み聞かせの催しが行なわれ、時に
はそれを近くの歩行者天国の路上で開催することも！ 丁
度取材した日は、とある児童書の出版ミニパーティーがあ
り、作家さんと挿絵のイラストレーターさんが子ども達に
サインしたりお喋りしたりとほのぼのとした雰囲気でした。

作家さんがサイン中

🏠 Bokslukaren

Mariatorget 2, 118 48 Stockholm
☎08-644-2106

Bokbok と同じくセーデルマルム地区の
マリアトリエットの広場に面した本屋さ
ん。0 歳から 18 歳まで向けの本が揃え
られていています。子ども向けの雑貨
や知育ゲームもあるのでプレゼント探し
にも役立ちそう。奥に小さいカフェも併
設しているので、親子でゆっくり過ごす
ことができそうです。

🏠 AKADEMIBOKHANDELN

Mäster Samuelsgatan 28,
111 57 Stockholm　☎010-744-1100
🕐月〜金 10:00〜19:00
土 10:00〜18:00　日 11:00〜17:00

スウェーデンで最大のブックチェーン店
にして、ストックホルム最大の売り場面
積を誇る本屋。ゆったりとした作りなの
で、ベビーカーでの来店も楽々。カラ
フルなソファーなどがあるので、寛ぎな
がら本選びができます。すぐ横にノーベ
ル賞ディナーでデザートを担当したパテ
ィシエ、ダニエル・ルースの手がけるカ
フェ K-märkt があるので、美味しいケ
ーキと本両方が楽しめます。

Bibliotek

図書館

スウェーデンに来たら訪ねてほしい場所

スウェーデンの図書館は地域に馴染んだこじんまりとしたものから、複数階の大きな規模のものまで様々です。ストックホルムで有名なのは、何といっても建物の美しさで有名な市立図書館。「スウェーデンの建築の父」と呼ばれる建築家エリック・グンナー・アスプルンドの設計したユニークな円柱形の外観と、円形をした図書室の壁全面にズラリと並べられた書架には訪れた人は必ず圧倒されるはず。この図書館内にはこども専用の図書室もあって、乳児からティーンまでの本が年齢別に分けてあります。同時に外国語の子どもの本もあるので、子どもが小さな頃は私もよく通ったものです。

　室内には椅子やソファーがところどころにあって、絵本のキャラのぬいぐるみがあちこちにあり、子どもがリラックスして寛げるような配慮がされています。ここは本を読んだり借りたりするだけではなく、他の子どもと一緒にボードゲームをしたり、工作ができるコーナーまであって親子で楽しく過ごせそう。一番奥の部屋にある読み聞かせのコーナーは、ちょっと暗めの照明と幻想的な絵をバックに子ども達がお話に集中できるような工夫がされています。

Stockholms Stadsbibliotek

 ストックホルム市立図書館

Sveavägen 73, 113 80 Stockholm

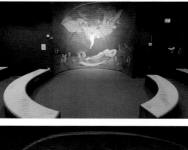

Kulturhuset Stadsteatern

🏠 カルチャーハウス

Sergels torg, 111 57 Stockholm

　この図書館の他にも、中心地セルゲル広場に位置する複合施設「カルチャーハウス」の中にも、とても素敵な子ども図書館がありました。ここには図書館以外にも映画館、市立劇場などが入っていて、大人から子どもまで楽しめる場所として地元で人気。図書館内には広々としたベンチの他、隠れて本が読める洞穴のようなところがあったりと居心地のいいところで、人気のため入場制限されるほどでした。今現在、建物全体を改装中で図書館も閉鎖。2020 年秋の再オープンには、きっと新しい図書館も楽しい工夫があるんじゃないかと期待しています。

Museum

美術館と博物館

伝統美と現代アートの
両方が楽しめる

私や姉が幼い頃、母は美術館やデパートの催しなど色々な展覧会によく連れて行ってくれました。それは「小さな頃から本物を見ていた方がいいから」という誰かからの受け売りだったのかもしれませんが、私も母の影響で同じように子ども達を連れて美術館や博物館によく足を運んだものです。

　私のおすすめの博物館はヴァーサ号博物館（P92）とスカンセン（P89）。行ってみて気付いたのは、スウェーデンのどんな美術館や博物館も子どもが来ることを前提としていること。子ども用の解説パンフレットがあるし、週末や休暇シーズンになると展示会のテーマに沿った子ども向けのワークショップがあちこちで盛んに行われています。予約制のものもあれば、飛び込み参加OKのところもあるので、事前にネットなどで情報を集めておくといいでしょう。子どもが未就学児の頃はあちこちに連れて行って、親子で色々なテーマの作品作りを楽しむことができました。ハロウィーンの時はメキシコの骸骨アートを作ってみたり、写真の展示会の時は写真をコラージュしてみたりと手法も色々。

086

色々展示に連れて行って分かったのは、どうやらうちの子は絵画よりもインスタレーションなど立体作品の方が視覚的な面白さに惹かれるみたい。親が楽しむと、気持ちが伝わるのか子どもも興味を持ってくれると感じます。よっぽど美術に興味がある子でないと、作品をずーっと観ているとそのうち子どもは飽きはじめます。そんな時は一緒にあれは何かな？どんな話なんだろうね？などときっかけを持たせると、意外と子どもは大人とは違った視点で面白がってくれます。もちろんそんな時は他の鑑賞者の邪魔にならないように小声で。子どもの好奇心は大人の考える以上なので、とにかく小さな頃は色んなものにふれる機会があるといいと思います。スウェーデンの美術館などは、そんな子ども達をいつでもウェルカムしてくれています。

スウェーデンの美術館で特に私のお気に入りなのが、ストックホルム郊外のグスタフスベリ近くにあるArtipelag（アーティペラーグ）というモダンアート中心の美術館。ベビー用品で有名なスウェーデン企業のベビービョルンの創始者が建てた私設美術館で、美術館までは森もしくは水辺から

静かな散歩道を通ってアプローチができま
す。展示作品よりも全面ガラス張りの窓か
らの針葉樹と湖の景色がまるで絵のように
すばらしく、ここだけの話それがこの美術
館一番の作品のような気がします。

Artipelag

🏠 **アーティペラーグ美術館**

Artipelagstigen I, I34 40 Gustavsberg
https://artipelag.se
開館時間はシーズンによって違うのでサイ
トにて要確認。
美術館行きのシャトルバスが一日数回
Vasagatan 24 マクドナルド横から出発。
行きは無料で戻るときが有料。

Saker att hitta på med barnen

子どもと行きたいスウェーデン観光

大人も子どもも
心底楽しめる場所がたくさん。

スカンセン
Skansen

Djurgårdsslätten 49-51 115 21 Stockholm

　ストックホルムに住んでいる人なら、誰でも一度は行ったことがあるのがスカンセン。中心街から少し離れたユールゴーデン島にある屋外博物館＆動物園です。30万平米の広大な丘陵地には、国内の約150の家屋を移築させた部分があって（日本の明治村みたいな場所）市民の憩いの場所となっています。入口は二つ。正面口と、少し離れたところにあるケーブルカーのある入口。登りの坂道がしんどい人はケーブルカーをおすすめします。入口にはコインロッカーや貸ベビーカーもあるし、入口横にあるスカンセン・ブティックは絶対チェックすべき。センスのいい工芸品からオリジナルグッズまでたくさん揃います。

　もし初めてスカンセンに子どもと一緒に訪れたなら、入口から入り、まずは左手に向かって古い建物エリアへ行くのをおすすめします。先に右手の動物園方面に行っちゃうと、子どもが動物にハマって建物までたどり着かないかも。石畳を登っていくと、古い時代の商人街が見えてきます。実演もしているガラス工房や陶器の工房、金物屋さん、パン屋さんでは買い物もできます。店をのぞき見しながらそぞろ歩くとタイムスリップした気分。さらに奥へ進むと100年以上前のスウェーデン各地の家々が並び、中に入るとその当時の服装をした人がいて、家の事や当時の生活の様子などを説明してくれます。どこの家も天井が低く、窓も寒さ対策のためか小さなサイズで家の中は昼間でも薄暗く、質素な暮らしをしていた時代のスウェーデンを体感できるでしょう。スウェーデンは厳しい気象条件や地理的なこともあって、長い間それほど裕福な国ではなかったのです。

　この古民家コーナーでは、子どもが参加できるプログラムがいくつかあります。季節や日にちによっては内容が変わるようですが、私が子ども達を連れて行った時は、村の郵便屋さんの仕事を手伝う仕事を任されました。郵便局で受け取った手紙を、どこかの民家の誰々さんに渡すという指令をもらい、地図と角笛を渡されて配達先に向かいます。目当ての家の外で角笛を吹いて合図すると、その家からクラシックな服装の女性が出てきてお礼を言って受け取りサインをもらいます。それをまた郵便局に持って行くと、配達記念のポストカードがもらえました。素朴なキッザニア・スウェーデン版というところでしょうか。他にも天秤をかついで水を運んだり、洗濯板で洗濯体験ができます。

小高い丘の頂からの街や水辺の景色はすばらしく、天気が良い日にはピクニックがおすすめ。もちろん園内にはキチンとしたレストランから、軽食中心のカジュアルなレストラン、コルヴ（ホットドック）の屋台なども揃っています。園の中心辺りに広場があって、夏至祭の時はここにメイポールが建ち、多くの人で賑わいます。舞台では民族衣装の音楽隊がスウェーデンのフォークソングを奏で、高々とそびえ立つポールの周りをたくさんの人たちが歌って踊るのです。この機会に、珍しい色んな種類の民族衣装を見ることができるので要チェック。冬になればこの広場にはクリスマスマーケットが立ち並び、スウェーデンのハンドメイドの民芸品やお菓子などを買うことができます。

そのまま民家コーナーと反対側の丘側に行くと、そこは動物園エリア。居るのはほとんどが北欧に住む動物たち。例外の特別飼育温室には猿などの熱帯の動物がいて、特にキツネザルの檻内は、人が自由に歩きまわって身近に猿を観察することができるので大人気です。Lill-Skansen コーナーでは、うさぎなどに触ることもできるのでいつも子どもがいっぱい。そしてここにはスカンセンならではの "おしゃぶりマシーン" があります。なかなかおしゃぶり離れができない子どもはここに来て、からくりマシーンに自分のおしゃぶりを入れてサヨナラを言うのです。お兄ちゃん、お姉ちゃんになったね！とちゃんと卒業証明書までもらえる心憎い演出も。動物園の一角には小さな遊園地コーナーもあって、レトロな遊具やお菓子スロットなどでこどもは大喜び。園内は本当に広くて、緑もいっぱいなので心身ともにリラックスできるところ。大人も子どもも一日中楽しめて何度でも来たくなる、それがスカンセンなのです。

北方民族博物館
Nordiska museet

Djurgårdsvägen 6–16,
115 93 Stockholm

北方民族博物館ではスウェーデンの伝統を紹介。野外博物館のスカンセンで展示ができない細かな伝統美術品を展示しています。荘厳で美しい建物は一見の価値あり。

ヴァーサ号博物館
Vasa museum

Djurgaardsvaegen 36,
115 21 Stockholm

ユールゴールデン島にある船の帆を揚げた外観の博物館。1628年の処女航海で出航してすぐに沈没してしまったバイキングの木造船ヴァーサ号が、沈没から333年後に奇跡的に極めてよい状態で引き上げられ、展示されている博物館。北欧で最多の来場者を誇る人気の博物館です。世界で唯一現在する17世紀の船で、泥の中に沈んでいたせいで傷みが少なく当時の姿を見せてくれます。その大きさ、装飾の彫刻の素晴らしさに圧倒されるのでぜひ実際に見て頂きたいイチオシの博物館です。近くには北欧民族博物館や自然史博物館、スカンセンもあります。

094

ガムラスタン
Gamla Stan

103 16 Stockholm

ストックホルムの旧市街であるガムラスタンは、石畳の道や古い建物が残り中世の面影を残すエリア。メインストリートには土産物屋やレストランが並び、観光客が多く訪れて活気があります。かつて歴代王族が暮らしていた王宮もあり内部も見学可能。建物が古いせいでバリアフリーになってない所も多く、ベビーカーは少し不便を感じることも。ジブリ映画の『魔女の宅急便』のモデルにもなった街とも言われています。またガムラスタンにある郵便博物館では色んな切手が買えるので、お土産にしてもいいですよ。

 ## ユニバッケン
Junibacken

Galärvarvsvägen 8, Djurgården, 115 21 Stockholm

スウェーデンの童話の世界を再現したこどものための屋内型ア
ミューズメントパーク。『長くつ下のピッピ』をはじめ、『やか
まし村の子どもたち』『ロッタちゃんシリーズ』など自由奔放
な世界。アミューズメントパークと言っても派手な乗り物など
はほとんどなく、唯一あるアトラクションは「おとぎばなしト
レイン」。乗るとアストリッド・リンドグレンの童話の様々な
場面を、アストリッド本人のナレーションと共に巡っていきま
す。全体的に幼稚園、小学校低学年向け。もしくは童話好きな
大人かも？ お話を読んでから行くと、一層楽しめます。

1_ ピッピの家と馬のリッラグッベン
2_ こども大好きマンマムーも人気の絵
本キャラ 3_ ホットドック屋さんごっこ
4_ 枕元にも眼鏡　5_ ピッピの家の
内部。ここでパンケーキ作ったの？
6_ 大好きなペットソンとフィンドゥスに
も会えた！ 7_ ペットソンおじさん
8_ 手や体を使っての遊び歌の時間

1_ ピッピ T シャツもカラフル！ 2_ 親指サイズに
なったこども達 3_ 一番人気のピッピにも会えま
す 4_ 女の子に人気、マディッケンと妹リーサベー
トも 5_ ロッタちゃんのお家訪問。やさしい色合
いの内装がかわいい 6_ エーミールとリーナ、何
のお話し中？ 7_ 目の前でねじねじキャンディー
造りを披露 8_ ここはミニチュアの家の通り

アストリッド・リンドグレーンワールド
Astrid Lindgrens Värld

598 85 Vimmerby, Sverige

こちらはちょっと離れて、スウェーデンのスモーラン
ド地方のヴィンメルビーにあるアストリッド・リンド
グレンの童話のテーマパーク。ピッピの家や『山賊の
むすめローニャ』の古城など多くの物語の舞台がそっ
くりそのままに再現され、楽しい劇やミュージカルが
上演されます。ファンにはたまらないところ。もちろ
ん話を知らなくても、十分に楽しめます。ストックホ
ルムからは電車を乗り継いで、3 時間半〜 4 時間ほど。
夏季だとパークすぐ横の最寄駅に停まります。

アストリッドリンドグレーンのアパート
Astrid Lindgren

Dalagutan 46 113 24 Stockholm

ストックホルムの中心街からやや北へ行ったところにあるヴァーサパルケン（P16）という市民の憩いの公園に面した古いアパートで、アストリッド・リンドグレーンは1941年から2002年に亡くなるまでの時間を過ごしました。そのアパートで予約制のガイドツアーが月に数回行われており、室内を見学することができます。ただし参加は15歳以上のみ。

本の挿絵の原画などが壁に飾られています。

1_ 仕事部屋の棚に飾られた小さな人形など。何だか親戚のおばあちゃんちみたいで親近感がわく　2_ 元の子ども部屋は仕事部屋に。執筆用のタイプライターのある机は、隣接の公園に向かって。窓を開け放つと聞こえてくる子ども達の声を聞きながら仕事をしていたのかも。横の棚にはリサ・ラーソンの人形コレクションが　3_ 居間　元は食卓があったところで、後には仕事関連の人と会ったり、マスコミ対応をする為にソファーが何台も置かれていました　4_ 居間の本棚には各国語のアストリッドの本が。日本語版ももちろんあり　5_ 仕事部屋のTVの前の机

6_ アストリッドの寝室。細長い部屋にも、本がいっぱい。小さなベッドに掛けられたパッチワークのカバーがかわいらしい　7_ 何十年も愛用していた鉛筆削り　8_ 玄関ホール。見学者の物かと思えば、アストリッドの使っていたジャンパーが無造作に掛けられていて驚く　9_ 枕元にも眼鏡

　年輩の女性2人によるガイドツアーは定員12名。基本スウェーデン語だけですが、私が参加した時はドイツから来た家族には後からざっと英語で説明していました。まずは居間でアストリッドの経歴を聞きます。生い立ちから、どうして故郷スモーランドを離れストックホルムに引っ越ししてきたのかなどをじっくりと話してくれます。部屋を順々に案内してもらうと、あまりに普通の生活ぶりに驚かされます。とりたてて贅沢な調度品などなく、ごく一般的なスウェーデンの年輩者の家。何十年も愛用していたという鉛筆削りやTVのリモコン、メモ紙などが無造作に置いてあるものだから、まだ本人がここで生活しているような錯覚をおこしてしまいます。生前にすでに成功していた彼女に、周囲の人々は「もっと大きな立派なアパートに移ったらいいのに」と本人に言ったそうですが、愛着あるこの場所を離れることはなかったそう。窓からは目の前に緑豊かなヴァーサパルケンが見下ろせます。ここで子育てし、その時に出会ったママ友とは一生涯の友人であったのだとか。地に足が付いた生活をしていたからこそ、世界中の人に愛されるお話を生み出せたんでしょうね。

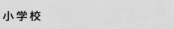

Grundskolan

小学校

スウェーデンでは 0 年生から勉強

娘 2 人は家から一番近い公立の小学校に通いました。0 年生〜 9 年生（日本で言えば幼稚園の年長さんから中学 3 年生）まで、約800人ほどが通う、比較的大きな学校です。0 年生は就学前クラスと呼ばれていて、アルファベットなどを習って一年生になる前に基礎を築くのが目的。

こちらの小学校は日本と違って、防犯の面で小学生の中学年くらいまでは親の送り迎えが普通です。仕事が終わって慌てて迎えに行くのは時に面倒に感じることもあったけれど、やはりメリットの方が大きかったなと思います。学校での子どもの様子がわかるし、先生に会えばその日の出来事を聞いたり、子ども達がその日に作った作品などを見ることができました。

スウェーデンでは 2 名担任がいます。ミ

ンミンの0年生の担任は、定年間近なのに エネルギッシュなリーサと、明るく肝っ玉 母さんタイプのレーナのベテラン2人。私 が感動したのが授業内容。毎週違うアル ファベットをひとつ選び、その頭文字を持つ 物や動物、人をその週のテーマにしていま した。例えばある時は「G」の週となって Grodan（カエル）がテーマ。色んな種類の カエルを図鑑で見て絵を描いてみるところ から始まり、その生態を知り、カエルの出 てくる歌を歌い、粘土でカエル作り。そし て「M」の週には、画家モネがテーマ。モ ネの画家としても生涯や作品を鑑賞し、模 写し、手で千切った紙で水仙を作る。つい でに水仙の生態も学ぶ。ひとつのテーマを 美術、科学、音楽と色んな分野からアプロー チをして広げ、子どもの興味を引き出す ような授業方法で素晴らしいなあと感嘆し たものです。

　1年生になると、いよいよ本格的な小学 校生活が始まります。各自の机を決め、教 科書やノートを中に入れておきます。教科 書などは学校から持ち帰ることはないの で、基本置きっぱなし。鉛筆やノートなど

の消耗品は学校から無料で支給されるた め、スウェーデンには子ども用のかわいい 文具がほとんど売っていません。そして学 年が上がるにつれて、親が学校に行く機会 もだんだんと減っていきます。学芸会など もないので、親同士が顔を合わせるのは学 校主催のクラスバザーの時や、終業式の時 にちょっと会うくらい。

　そして学校とは別に、もうひとつの大 きな存在なのは日本で言う学童保育であ る「Fritids（フリーティース）」。共働きの 夫婦が多いので、ほとんどの子どもは有料 の学校である Fritids に登録しています。 Fritids にはちゃんと免許を持った数人の 指導員がいて、娘達の学校の場合は学校 が終わった後はそのまま同じ校舎で Fritids に参加して、そこで学年の違う子と遊んだ り、手芸や工作、お菓子作りやスポーツな どバラエティに富んだ活動をしてとても楽 しそうです。指導員はそれぞれの得意分野 などがあるようで、最近ではある指導員が ジャグリングを流行らせた結果、何千回も できる子どもが出てきて地域新聞に取材さ れたり。いつも感謝しています。

Sommarlov

夏休み

とにかく子どもが羨ましくなるスウェーデンの夏休み。6月中旬から8月中旬まで、ゆうに2カ月もある上に、宿題もなく、ただただのんびり遊んで過ごせる夏休みは、日本で育った私から見ると夢みたいです。その代わり、親の方は大変。長期の休みが取れるスウェーデンでもさすがに2カ月の夏休みは無理。

その間どうするかと言うと、我が家の場合は祖父母や自営業の従妹一家に預けて別荘で過ごさせています。もしくは夫婦のお互いの職場に連れて行くこともありました。うちみたいに預かってくれる人がいない夫婦の場合は時期をずらして休暇を取ったり、夏の特別学童に入れたり。あるいは「Sommarkollo（ソンマルコロ）」と呼ばれる市や自治体が主催する小学生向け

の林間学校のプログラムに参加させる方法もあります。Sommarkollo は自然の中で過ごすことが多く、様々なアクティビティが用意されていて毎年楽しみに参加する子どもも多いとか。学校や年代を超えた友達ができるのも楽しそう。また長期の休みとなると旅行に出かける家族も多いでしょう。我が家は隔年で夏休みに日本に行っているので、なかなか他国に行く機会がありません。せっかくヨーロッパ内に住んでいるのに、意外と国外旅行はしてないものです。まあ、夏の過ごし方は家族によっていろいろ。ただ、どこもお休みになる夏は、閉まっている店やレストランも多いので旅行の時は気をつけて。

Skolavslutning

終業式と卒業式

スウェーデンの学校は夏休みに入る6月半ばに学年度が終わります。娘が行っている近所の公立学校は小中一貫校で、ストックホルム内でも比較的大きな学校。3学期最終日には、終業式と中学の卒業式が合同であります。こういった式を教会で厳かに行う学校も多いようですが、近くに教会がないせいか、娘達の学校は校庭で生徒全員と父兄も自由に参加できるラフな雰囲気。堅苦しさは全くなく、その証拠に式を進行するのは先生ではなく、毎年小学校1年生が担当します。数年前にミンミンがもう1人の同級生と抜擢されました。親の緊張をよそに大勢の人の前であがる様子もなく堂々と進行するミンミンの様子に、我が子ながら『誰に似たんだ?』とびっくり。式では日本のような堅苦しいスピーチなど全くなく、生徒達による夏の歌の合唱や、生徒（たまに教師も）のバンド演奏など毎年趣向を凝らしていて、まるでパーティーのようなノリ。子ども達もこれから始まる夏休みを前に嬉しさでいっぱいのようです。

卒業式は、基本女の子は白いワンピース、男の子はスーツなのがお約束。毎年優秀な成績を収めた生徒が発表され、賞状が与えられるけど、あとの生徒にはその場で卒業証書を渡すこともなく、校長先生の挨拶も短めで実にあっさりとした卒業式。初めて参加した時は、「え?これだけ?!もう終わり!?卒業式がこんなんでいいの?」とカルチャーショックを受けました。ちなみにスウェーデンでは高校の卒業式は成人になる18歳と重なることもあって、特に重要な大イベント。それに比べたら中学卒業は通過点と言った感じで、そんなに重要でないのかも? 最後には大勢の拍手とともに卒業生たちを見送ると、子ども達の2カ月以上の長い夏休みが始まります。

103

Midsommar

ミッドソンマル 夏至祭

日差しを待ち望むスウェーデン人が
一番愛おしむ祝祭日

スウェーデンの夏は、自然が一番いきいきと輝く美しい季節。夏至に最も近い土曜（ミッドソンマル）とその前日（ミッドソンマルアフトン）の2日間を祝日として、夏の訪れを盛大にお祝いします。スウェーデン人にとってミッドソンマル夏至祭は、クリスマスと同じくらいとても重要なお祭りのひとつ。広場や野原にミッドソンマルストングという白樺の葉で飾った豊穣のシンボルの柱を立てて、その周りで人々が手をつないで、歌いながら踊るのです。この日は民族衣装を着る人も多く、滅多に見れない伝統衣装を身近に見るのも楽しみの一つ。野の花をあしらった白樺の枝で作った冠を頭にのせれば、祭り気分も一層盛り上がります。スウェーデン各地のあちこちの広場や公園にメイポールが立ち人々がダンスをしていますが、中でも最も有名なのは屋外博物館スカンセンでのミッドソンマル。中央広場で観光客も地元民も混ざって、歌って踊ってお祝いします。

我が家はというと、西海岸の別荘で親戚と一緒にミッドソンマルを過ごすことが恒例になっています。まずは自分達で木を切り出して、十字状に組んでメイポールを作ります。子ども達は数種の野の花を採ってきて、素朴でかわいらしい花の冠を作ります。

ミッドソンマルにはお約束の曲があって、"Små grodorna（ちっちゃなカエルちゃん）"はコミカルで単純な歌詞と、うさぎ跳びのようなダンスで盛り上がるもの。老いも若きも一緒になって、ちょっとふざけた調子の歌を歌って踊るのがなんともほのぼのとしています。さすがに何度も踊ると足腰に来るので、シニアにはキツイ踊りですけど（笑）。

そしてミッドソンマルの食事といえば、やはり旬の採れたての新じゃが。別荘には義父のじゃがいも畑があって、生まれて初

めて採れたてのじゃがいもを食べた時はあまりの美味しさに衝撃を受けました。店で買うのはもう新じゃがとは呼べない！と思うほど格別の味でした。それに色んな味付けのニシンの酢漬けにサワークリーム、刻んだシブレ、バターを塗ったライ麦クネッケがあればもう完璧です。シュナプッス（蒸留酒）で乾杯すると、大人はだんだん声が大きくなって陽気にお喋り。ついでに歌なんかも歌います。デザートに必需なのはイチゴ。そのまま食べたり、ケーキにしたり。ミッドソンマルといえばイチゴが決まりなので、イチゴの価格がぐーんと高騰します。郊外や田舎では道端でイチゴが売られていることが多く、手頃な価格の外国産、値段は高めだけど甘味の強い採りたてのスウェーデン産などいろいろなものから選ぶことができますが、ミッドソンマルにはせっかくだからと奮発してスウェーデン産のイチゴを買ってしまいます。

一年で一番昼が長い夏至だから、いつまでも外が明るく子ども達も時間も忘れて外遊び。太陽、そしてその日差しが大好きなスウェーデン人が、一番愛おしむ祝祭日がこのミッドソンマルなのです。

Semester

ヴァカンス

外国に行くのは、
日本の国内旅行と同じ感覚

日本と違って陸続きで他国と繋がっているから、スウェーデン人にとって外国に行くことは他県に行く感覚。子ども達の保育園と学校には、よくもまあと飽きれるくらい休暇が頻繁にあります。スポーツ休暇、イースター休暇、秋休み、クリスマス休暇などは短くても最低1週間、さらに2カ月以上にわたる夏休み。こんなに休んでよく授業が追いつくなあと感心するくらい。

スウェーデン人が旅行をする場合、ヨーロッパ内の近場で過ごす派と、タイ（スウェーデン人にとってタイは日本人のハワイに似た感覚）やマヨルカ島などの暖かい地

でリゾートを楽しむ派とに分かれています。子ども連れの家族だとオールインクルーシヴと呼ばれる航空運賃、宿泊費、食費、キッズプログラムなどのアクティビティまで含まれたチャーターツアーが人気です。

　我が家のヴァカンスは、隔年で日本に帰省したり、そうでなければ義両親の持っているスウェーデン西海岸にある別荘に滞在することがほとんど。田舎の別荘で何をしているかと言うと、森でキノコ狩り、ボートに乗って釣りしたり、建物の修理、機織りや木陰で読書したり…。街の生活から離れてリラックスすることがまず第一の目的です。自然の中でのびのび遊べて、たくさんの思い出をたくさん作れるスウェーデンの子どもたちが心底羨ましい。

　ちなみにスウェーデン人が１年に取れる有給休暇は平均５週間！ 多くの人が長期でヴァカンスをとる夏になると、街の中は途端に静まり、会社や病院などは臨時職員などが対応したりで突然社会全体が休みモードになってしまいます。

Fritidshus

別荘

夏休みは別荘で過ごすのが一般的

別荘を持っていると言うと、日本だと何だかセレブに聞こえるかもしれませんが、こちらでは別荘はそんなに特別なものでなく、もっと身近なもの。別荘自体も小屋のような質素なモノから、何もかもがそろった豪華なモノまで千差万別。立地も人里離れた森の中にぽつりと建っている家もあれば、憧れの海岸沿い、いわゆる別荘地だったりといろいろです。我が家は義両親の持つスウェーデン西海岸の別荘を親戚と一緒に使わせてもらっています。敷地内には数軒の家があるので、兄弟4人ともそれぞれ一軒ずつ使えるのが便利です。ただ難点はストックホルムから遠く離れているので、車で片道5〜6時間掛かること。近ければ週末毎に滞在できるのですが…。

私達が過ごす家は、西海岸特有の平べったい岩山と海が見え、野原に囲まれた一軒家。寝室が4部屋あるので、数家族で一緒に過ごしたり、子ども達のお友達を連れて来ても大丈夫な広さ。とにかく周りは自然だらけのド田舎。夏だとキノコ狩りや釣り、ベリー摘みなど大人も子どももアクティブに遊べます。夫は男兄弟4人で育っているので、子どもへの遊び方がなかなかワイルドで容赦ありません。けっこうな高さの岩山でも子どもが幼い頃から自力で登らせ、どこがどう危ないのかなど実際に体験させて教えるのです。それでも時々失敗してケガもするけど、それも次に生かせる経験ということで無駄にはならないはず。子ども達はそんなパパとの冒険遊びが大好きなので、その間私はお菓子を作ったり、屋外のチェアに座って陽を浴びながら読書しながら紅茶を一杯、というのが至福の時。休暇の時は家事をなるべくしたくないので手抜き料理ばかりという人が多いのですが、私達はまるで反対。普段は仕事の後に手の込んだ食事を作れないので、別荘に来ると時間もあるし俄然はりきって美味しいものを作りたくなるのです。特に西海岸は魚介類が新鮮で美味しいので、家では作らないような料理に挑戦したりもします。別荘での生活は普段以上に親子の絆を深めて、街での忙しい日々から心身ともに解放される大切な時間なのです。

112

Nära till vatten

水辺

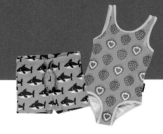

夏は水辺で遊ぶ。ここは森と湖の国

　森と湖の国と呼ばれるスウェーデン。なんと約９万個あるという湖や囲まれた海のおかげで、スウェーデン人には水辺は切っても切れない場所。そんな土地柄、高級なクルージング船から手漕ぎのボートまでピンキリではあるけれど、自家用ボートを持っている人が多いのです。

　初夏になり、やっと屋外で活動できる季節になると、海や湖上は待ちに待った人たちが操るボートで一気に賑やかになります。我が家も西海岸の別荘に夫の家族共同

のモーターボートが一艘あり、海釣りに行ったり、ボートで島巡りをしたり、もしくはアザラシ・ウォッチングをしに行ったりと夏にみっちり活用しています。数年前は夫とヤヤの２人が、ストックホルム市内の湖や運河などを貸しカヌーで周ってみました。湖上から見るストックホルムの街はまた違っていて、とても良かったんだとか。次回は親子４人で挑戦してみようと計画しています。

小さな頃から水に親しみ、冷たい水もへっちゃら

スウェーデン人は幼い頃から水に親しんでいるせいか、泳げないという人はあまり聞いたことがありません。実際に小中学生は200m泳ぐテストがあり、そのうちの50mを背泳ぎ、残りは自由形で泳ぐ基準のテストもあります。それなのに学校にはプールがあるところは少ないので、家族が夏休みに教えたり、水泳教室に行ったりしなければなりません。ミンミンも数カ月間、近所の水泳教室に通って何とか泳げるようになりました。とにかく周りに水辺が多く、水難事故が多いので泳げることはここでは必須なのでしょう。一方私はといえば、海の近くに育った割に泳ぎは苦手。海水浴は大好きですがスウェーデンで泳いだのはほんの数えるくらい。なぜなら水温がめちゃくちゃ低くて、九州人の私にはやっぱり無理！ガタガタと震えあがります。スウェーデン人化している娘ヤヤは、3月の極寒の中で平気で泳いだりして恐るべし、です。夫のDNAなのか、または子どもの順応性なのかは分かりませんが、冷たい水もへっちゃらな娘たちです。

Skog

森

スウェーデン人にとって
森は心の故郷

スウェーデン人にとって、森は人生の中で切り離されることのできない特別な場所。いつも身近にある、まさに心の故郷のようなところです。私はスウェーデンに住むまでは生まれも育ちも町の子、森に行くような生活も環境もなくて、どちらかというと森には暗くて怖いという感情を抱いていました。要するに慣れていないから、得体のしれない怖さ。そんな私が出会ったのが、森がとにかく大好きの典型的なスウェーデン人の夫なのですから。スウェーデンの森は、日本のどこか張りつめたような空気のある針葉樹林と違って、もっと大らか、それでいて神秘的な雰囲気のある広葉樹が中心の森が多いです。

夫はまずは雪が溶け、草木が芽吹いてくる頃からそわそわし始めます。まずは頃合いを見計らって、日本の行者ニンニクに似たラムソンを探しに森へ出向きます。密集して生えているので子どもにも摘みやすいのですが、有毒なすずらんに似た葉を持つので注意が必要です。採ってきた葉を刻んでバターに混ぜたり、ペーストを作ってサラダやパスタに使ったりと大活躍。我が家ではペーストを大量に作り冷凍保存しています。春には三つ葉やぜんまい、イラクサも採れはじめます。

117

夏になると今度は狂乱のキノコの季節が到来。森の中も木々が青々として、散策するのに気持ちのいい季節です。この時期になると、私達は毎週末はキノコ狩りで大忙し。毎回子どもを連れて行くと、段々飽きてくるのでちょっとさじ加減が必要です。キノコは種類がとても多く、有毒な物も多いので、確実に知っている種類だけに狙いを定めて自分達の定番コースを周ります。そうそう、ラムソンとキノコの採れる場所は親戚内だけで情報共有、他人には漏らさないのが鉄則だそうです（笑）。採れるキノコは黄色のカンタレル（アンズダケ）、キノコの王様カール・ヨワン（ポルチーノ）などなど。ここ数年はカール・ヨワンが大当たりの年が続き、毎年贅沢に生ポルチーノを堪能できる楽しみもできました。子ども達はキノコのクリームソースのせトーストが大好物。残ったキノコは一旦蒸し煮して冷凍、もしくは天日干ししてジップロックに入れて保存して一年中楽しむことができます。森の中にはベリー類も豊富。足元に絨毯のように茂るブルーベリーをおやつ代わりに摘まみながらキノコ狩りなんて、まるで童話の一場面のようです。リンゴンベリーもたわわに実るので、子ども達がクシ状の物が付いたスコップのようなベリー採り専用の道具を使ってたんまり採ってジャム作り。リンゴンベリーで作ったジャムは、子どもが大好きなミートボールにぴったりです。

北欧の短い夏が終わると、葉が色づき始めて今度は別の種類のキノコの季節がやってきます。赤や黄色の秋色で彩られた森は見た目は綺麗だけれど、落ち葉の色のせいでキノコ探しは少しばかり困難になります。私はこの時期になると、やがて迎えるクリスマスのデコレーション用にとビロードのような深緑のふわふわの苔を集めておきます。そして気温がぐっと下がって日照時間が短い冬になると、さすがに森に行く機会もぐっと減ります。でも実は真っ白な雪が積もった夜の森を歩くと、雪に反射された月明かりが青白く輝いて、何とも言えない幻想的な世界が現れます。こんな風に森を愛する典型的なスウェーデン人になるために、子ども達は早期教育されて、森に親しみ足腰がしっかりとなってゆくのです。

Måltid　食事

スウェーデンの定番料理といえば

　我が家は全員食いしん坊。その中でも私が一番の食いしん坊。夫は舌が肥えており、実際料理上手で、いくつかの殿堂入り十八番メニューの時は私の出番はありません。子どもが小さな時には、スウェーデンの子どもの定番メニューであるショットブーラル（肉団子）や、スパゲッティミートソースをリクエストされることもあったけれど、基本的に大人と同じ食事をしていました。自分自身が食べたいこともあって、最低週に2〜3日は日本、アジア料理。そうなると使う食材もメニューもスウェーデン

の一般家庭とは違うものになるけれど、幼い頃から色んな味を知ってもらいたくて慣らしていきました。我が家の方針として、初めて食べるものでも、一度だけでいいから味をみてごらんと挑戦させるようにしています。見た目で嫌がる場合もあるけれど、そこを無理強いしない程度に「ちょっとだけ味見してみて、ダメだったら食べなくていいよ」と言うと大抵半信半疑の顔つきでちょこっと食べる。そして次の瞬間に瞳がきらりん！と光って「美味しい〜っ！」となるのがよくあるパターン。こちらは「伊

達に親はやってないよ、あなたの好みの味くらいちゃんと把握してるのよ」と心の中でほくそ笑んでいます。

スウェーデンに来て驚いたのは、スーパーマーケットに行くとものすごい種類のタコス商品があること。ずらっと数台の棚がタコス関連で埋め尽くされています。スウェーデンとタコス、ちっとも北欧に似合わない料理が、まるで国民食のように浸透しているのです。金曜日はタコスの日と呼ばれていて、野菜を切って、ひき肉に出来あいスパイスを混ぜて炒めるだけのお手軽タコスで週末の時間を有効に使おうということらしいです。

スウェーデンに来て常々思うのは、日本の家庭の食卓に上る料理のバラエティさ。日本にいる時には同じ料理を何度も作ることはそう頻繁になかったけれど、こちらでは同じメニューをローテーションで作っている家庭が多くてびっくりします。どうやら子ども向けメニューばかり作っているらしく、それから外れた食材を食べない子どもがとても多いのです。食については日本の方がずっとバラエティ豊かで、好奇心旺だと思います。

私の誕生日に家族揃って少しばかり高級なレストランに行った時のこと。いつものように4人で食事をしながら、お行儀が悪いけれどお互いの料理を味見しては、みんなで感想を言い合っていたのです。そのうち後ろの席に座っていた年輩カップルが帰り際に私たちのテーブルに近寄って来てこう言いました。「ごめんなさい。失礼だけれど後ろであなた達の会話を聞いていたの。子ども達が大人みたいに食事を味わって愉しんでることに感動しちゃったわ！」と。思いもかけない言葉にこちらもびっくり。こんなふうに親の食いしん坊が、いつの間にか子どもに刷り込まれているんでしょうね。

121

Frukost

朝ごはん

　毎日の朝ごはんは、大抵パン。子ども達のお気に入りは、ポーラルブレッドという丸くて柔らかいスウェーデン北部のパンです。上の子は焼いてカリっとさせてからレバーペーストやチーズを載せ、下の子は焼かずにたっぷり塗ったバターにハチミツをトロリとかけてとそれぞれのスタイルです。パンに飽きたときは、ドライストロベリーが入ったシリアルや、麦芽シリアルにヨーグルトをたっぷりかけたもの。休日の朝は、家族でゆっくり過ごしたいもの。普段は早朝子どもが起きる前に出勤するパパと一緒に朝食を食べるので、子どもたちも嬉しそうです。パンケーキや、なぜかファッティガリッダレ（貧乏な騎士）と呼ばれるフレンチトーストを作ったりして休日の特別感を出す工夫もしています。

　もしスウェーデンに旅行に来たなら、ホテルでスウェーデン風の朝食を体験できると思います。他国のビュッフェとの違いは、クネッケパンの種類が豊富で、サーモンや種類豊富なニシンの酢漬けが楽しめること。朝から魚というのも日本人には意外と違和感ないかも？

Bento

お弁当事情

　我が家の娘は毎週土曜日の日本語補習校へ日本式のお弁当を持って行くので、週末のお弁当作りはすでに11年目に突入です。補習校に来ている子ども達が週末のお休みを一日削ってまでがんばるのは、同じような境遇のお友達ができて、日本語が上手になるということもあるけれど、一番のお目当てはおにぎりや卵焼きなどの日本らしいお弁当を食べることかもしれません。

　さてスウェーデンの幼稚園や現地校では、お弁当を食べる機会はほとんどなく、たまに課外授業で博物館やピクニックに行く時だけで

年に数回のみ。だからなのかスウェーデン人はお弁当に対する思い入れは全くと言っていいほどありません。とにかくいかに手をかけないかがテーマ。サンドイッチ、茹でたマカロニにケチャップまぶしただけ、冷凍ミートボールそのまま、クレープにジャムをつけて丸めただけなど、栄養面や見た目などは気にせず、さっと食べれるものが定番メニュー。当然お弁当用グッズなどあるはずもなく、人気キャラものの大きなランチボックスがおもちゃ屋にちょろっと売ってるくらいです。日本のキャラ弁とは対極にあるようなお弁当事情のため、ヘタに手の込んだ弁当を作ろうものなら、周りから浮くから嫌だと子どもから拒絶される始末です。

Fluffig ugnspannkaka

ふわふわオーブンパンケーキ

ゆったりとした週末の朝は、親子でいっしょにパンケーキ作りを楽しんでみませんか?
スウェーデンはいわゆるクレープをパンケーキと呼びます。どのレストランに行っても
子ども用のメニューにはパンケーキがあるくらい、スウェーデンの子どもに一番人気。
紹介するのは、家族でいっしょに味わえる大胆なオーブンの天板 1 枚分のパンケーキのレシピです。
IKEA で売っているようなデシリットル(DL)メジャースプーンを使えば重さを計らなくていいので、
小さな子でも簡単に作れます。

材料
小麦粉　2.5dl
ベーキングパウダー　小さじ1
牛乳　6dl
卵　3個
砂糖　小さじ1
塩　ひとつまみ
バター　適宜

1 ボウルに入れた小麦粉とベーキングパウダーに半量の牛乳（3dl）を加えてよく混ぜる。

2 そこに卵を加えよく混ぜ、残りの牛乳（3dl）も混ぜる。その後、砂糖と塩も加えてよく混ぜる。

3 バターを塗った天板に、生地を流し込む。

4 オーブンの中段で15〜20分焼く。

5 ふわふわ膨らんで、いい色に焼けたら出来上がり。ホイップクリーム、ジャムやメイプルシロップなどと合わせて召し上がれ♪

Stormarknad
スーパーマーケット

パン売り場の後ろで焼いているので、焼きたてパンも買えちゃう

乳製品とアレルギー対応食品が豊富に揃う

海外に行くと一番楽しいのがスーパーマーケット。その土地に根付いた、その土地ならではのものに出会えるし、ディスプレイやパッケージなんかにもお国柄が出ていますよね。スウェーデンではいくつかのスーパーのチェーン店があって、昔からあって大きなところと言えばICA（イーカ）とCOOP（コープ）。どちらも郊外に大型スーパーや、店舗サイズによって名前をちょっと変えた店があちこちにあります。私の住んでいる地域はストックホルムの郊外なので、色んな種類の大型スーパーがあって、その時買いたい物によって使い分けています。お肉を買うときは、品質のよいものを置いているCity Gross（シティグロス）、おやつのナッツ類を買いたい時はドイツ系ス

ーパーのLidle（リドル）など選べてとても便利。

だいたい週一でまとめ買いをするので、買い物する時は家族揃ってスーパーの大きなカートをゴロゴロ。どこのスーパーにも子ども用に小さなミニカートが置いてあるので、わが子達も幼い頃は張り切ってお買い物に付いてきてくれました。カートには旗のついたポールがついているので、子どもが離れていても見つけやすい工夫も。

日本との大きな違いを感じるのはアレルギー食品コーナー。グルテンアレルギーや、ラクトスアレルギーの為の食材や加工物、冷凍食品などの売り場が広くて充実しています。また大型スーパーだとパンコーナーは既成のパンと、その場で焼いたパンやケ

野菜などは基本量り売り

子ども用カートで嬉しそうな女の子

物凄いクネッケの種類！
形も豊富です

ーキが売っています。スーパー内に専属の
パン職人とパティシエがいるところが多い
からです。パン屋自体がそんなに多くない
スウェーデンでは、意外にもパンはスーパ
ーで買うのが一般的。この他では、乳製品
が充実しているのも特徴。さすが酪農国だ
けあって日本では馴染のないスウェーデン
独特の製品もたくさんあるので、未だによ
く違いが分からないものも。

　会計はレジ、もしくはセルフスキャンと
呼ばれる、自分でスキャンして精算する方
法があります。買い物袋は有料で、ビニー
ル袋か紙袋、もしくはエコバッグが選べる
ようになっています。我が家は毎回スーパ
ーオリジナルのエコバッグ持参。大きくマ
チがあるので、大量買いでも安心して持ち
運びできて便利です。

陳列棚丸々グルテンフリーの商品だけ。冷凍食品
やパンもあるので、アレルギー持ちの人には心強い

Utomhusmarknad

屋外マーケット

みずみずしい野菜とクラフトを買いに

　北国なので仕方がないけれど、スウェーデンでは屋外マーケットができるのは短い期間だけ。雪が溶け、まだ肌寒い春から屋外で始まるフードマーケットや蚤の市はあるけれど、やはり本格的になるのは夏。唯一例外なのが、ストックホルムの町の中心のコンサートホール横のヒュートリエット広場にある常設の屋外マーケット。新鮮な

季節の野菜や果物、花などが手頃な価格で買えるとあって庶民に人気です。

　もっと食にこだわりのある人達に人気なのは、初夏から始まる期間限定のファーマーズマーケット。こちらはエコロジー農法で育てた野菜などが生産者から直接買うことができます。年を追うごとに規模も大きくなっていくので、買いに行く方も楽しみ。

近郊の農家直送なので、見るからに野菜が
みずみずしいし、売り方もダイナミック。
衣食住の「住」重視だったスウェーデン人
も、やっとここ 10 年くらいで食に対する
興味が高まってきていて、私がスウェーデ
ンに越してきた当時とは比べ物にならない
くらい。おかげで、それまで手に入らなか
った色々な食材が簡単に手に入るようにな
ったのはとにかく嬉しい限りです。

　また天気のいい季節の週末は、屋外ロッ
ピス（蚤の市）や、車のラゲージスペース
を利用して自分の不用品を売るロッピスの
盛んな季節。毎週のようにどこかで開かれ
ているので、ネットなどでチェックしては
スケジュールを組む私。すぐにサイズアウ
トする子ども服や靴は、ロッピスを活用し
ない手はありません。リサイクルの精神が
根付いたスウェーデン、日本以上にロッピ
スで子どもの服やおもちゃを買う人が多い
ように感じます。

　そして寒い冬のシーズンになると、今度
はクリスマスマーケットの出番です。スカ
ンセンや旧市街には特設の大きめの市が開
かれて、木製品や陶器などの手工芸品から、
クネッケや農場直売のチーズやソーセージ

といった食品などが売られています。私が
好きなのは郊外で週末だけに開かれる、子
どもも連れて行きやすいこじんまりとした
もの。ハンドメイドの物中心で、プロの工
芸品からご近所のおばあさんの手編みグッ
ズまで、様々なものが混ざっているのが魅
力。雪降る中を、グロッグと呼ばれるホッ
トワインを飲みながらクリスマスプレゼン
トを探すのも北欧ならでは。ヨックモック
村のウィンターマーケットも有名です。

Keramik

食器

どこか懐しくて、いつまでも新鮮

「デザイン性」と「機能性」をあわせ持った北欧の食器。洋食、和食ともにしっくりくるオールマイティなデザインが、特に日本のファンを増やす理由のひとつ。北欧家具が日本の家に不思議とすんなり溶け込むのと似ています。古くからの伝統と洗練されたデザインが共存する街ストックホルムでは、いたるところでスタンダードなデザインが自然に溶け込んでいます。外出するよりも家族と家で過ごす方が多いため、高級品よりも、普段使う食器に名作がたくさん残っているのかもしれません。北欧食器に共通している「懐かしさ」。古くはお馴染みのスティグ・リンドベリのベルサや、ロールストランドのモナミなど。本場スウェーデンでもリンドベリなどの復刻版の食器が人気。買っているのは主に若い世代。ただ単にレトロなデザインがいいから、という理由だけでなく、「昔おばあちゃんの家に行くとあった」というノスタルジーを感じるせいもあるようです。

1_ 型から外す繊細な作業で真剣な表情　2_ セーデルマルム地区の静かなエリアの一角にある、気軽に入れる雰囲気のアトリエ。ピンクの旗が目印　3_ 優しい色のグラデーションが持ち味　4_ 路上から、楽しげな作業の様子が見える　5_ 作業場にあった色見本がかわいい！

ミア・ブランシュ　アトリエ＆ショップ
Mia Blanche atelier & shop

Åsögatan 159, 116 32 Stockholm　(46)708-670101
月曜は不定休　火〜金曜11:00〜19:00　土曜11:00〜15:00

スウェーデンの雑誌などで、作品を目にすることも多い人気陶芸家のミア・ブランシュさん。元倉庫を自分で改装したというアトリエ兼店舗はパステルトーンの優しい食器がたくさん。ミアさんの作品に多用されているレース模様は、おばあさんがその昔に作ったものを使用。少女っぽく、可愛いものが大好きで、古い布やテキスタイルなどからインスピレーションを受けることが多いそう。こういったナチュラルな雰囲気の食器もスウェーデンの食卓によく似合う。自然光がたっぷり差し込み、眺めるだけでも気持ちがいいショップ。ぜひ立ち寄ってみて。

1_"Svenska Djur（スウェーデンの動物）"と名付けられた愛嬌たっぷりのうさぎとモグラの器は、スウェーデン王室のカール・フィリップ王子とデザイングループBernadotte & Kylbergとのコラボ作品。大胆なディスプレイが目を引く　2_コーナー毎にあるテーブルコーディネートもお手本にしたい　3_王室ご用達窯ロールストランドも品揃え豊富。人気のモナミ・シリーズ　4_グスタフスベリのスティグ・リンドベリ復刻品も。コルクのふた付き容器はキッチン以外でも使えそう

🏠 **ＮＫデパート（ノルディスカ・カンパニーエット）**
Nordiska Kompaniet

Hamngatan 18-20, 111 47 Stockholm　📞(46)87628000
🕐月〜金曜10：00〜20：00（土曜18：00まで、日曜 11〜17：00）　※祝祭日は営業時間変更あり

1902年創業のストックホルムを代表するデパートの地下にある食器コーナー。ハイセンスなディスプレイと、他のショップでは見られないような芸術性の高い商品を扱っているのは老舗ならでは。黒と白を基調とした落ち着いた店内は、ゆったりとして買い物がしやすい。ロールストランドやイッタラ、ジョージ・ジャンセン、デザインハウス・ストックホルムなどのデザインブティックも同じ階に集まっているので、時間のない旅行者にも手早く買えておすすめ。お土産にするのなら、ＮＫのロゴの入ったシャープなデザインのラッピングペーパーでラッピングをお願いしてみて。

1_ ホガネス・セラミックは、スウェーデンでは日常使いのブランド。ストーンウェアと呼ばれる重みのある素材だが、素朴な雰囲気でファンも多い　2_テーブルのコーディネートもスウェーデンらしさいっぱい。廃番になったシリーズがあったりして、食器好きは遠くても訪れる価値あり　3_"2:a" はセカンドクラスの意味。物によってキズなどの程度の差が大きいので、なるべく状態のいい物をしっかり見つけるのがコツ　4_無造作に積み上げられた商品を目にするだけで、アドレナリンが出まくるはず。掘り出し物も多いので、落ち着いて物色すべし

🏠 イッタラ・アウトレット
Ittala outlet Tyra Lundgrens vägen

Tyra Lundgrens väg 23, 134 40 Gustavsberg　📞 (46)8-570 356 55
🕐 月～金曜10：00～19：00（土・日18：00まで）※祝祭日、時期によって営業時間変更あり

陶磁器の町グスタフスベリにあるアウトレット。イッタラ、ロールストランド、ホーガネスなどのイッタラ・グループ内の大手ブランドの食器が一挙に揃うので、地元スウェーデン人にも大人気。グラスを数個買うと、ピッチャーがおまけ！というような限定特別セールもあるので、見逃さないよう念入りにチェックしてみて。手が出なかった憧れの食器も、普段使いにできそうな値段で買えるのが嬉しい。店の近くには、グスタフスベリやコスタボーダなどのアウトレットもあるので、合わせて見ておきたい。グスタフスベリ自体は小さな町なので、買い物後はのんびりと水辺を散歩したりするのもおすすめ。

1_ どこか和食器を思わせるのはスウェーデンのアパレルブランド Flippa K とロールストランド社とのコラボレーション。シックでどこかエッジの効いたファッションのイメージそのままのデザインが特徴　2_ 目をひくポップな色のガラス食器達。テーブルが一気に華やぎそうなビビッドカラーは、パーティーなどに活躍しそう　3_ スウェーデンは別名ガラスの王国。オレフォスやコスタ・ボーダなどの一流ガラスメーカーの新作、定番ともに手に入る　4_ 北欧らしい色とデザインで、毎日を楽しくしてくれそうな食器が並ぶ

セルベーラ スヴェアヴェーゲン店
Cervera

Sveavägen 24-26, 111 57　Stockholm　📞(46)8-104530
🕐月〜金曜10:00〜19:00(土曜17:00まで、日曜12:00〜17:00)

スウェーデン国内に 70 店舗以上を持つキッチン周りの専門チェーン店。国内外の食器から、鍋やガラス製品などを幅広く扱っており、スウェーデン人も贈り物を探す時に立ち寄る人気のお店。クラシックな定番ものから、スウェーデンで今トレンドのもの、ポップなもの、ユニークなデザインでお手頃価格の物まであるので、お土産選びに困った時にはぜひ。特にガラス製品の品揃えがいいので、お気に入りのグラスを見つけて、ワインと一緒に旅の思い出を味わってみるのも良さそう。ここに来れば、今スウェーデンで流行しているものも良く分かる。

Godis

お菓子

お菓子の消費量が世界一

スウェーデンでよく見かけるココナッツ味のチョコ
レートボールはフィーカなどでも定番のお菓子

恐ろしいことにスウェーデン、お菓子の消費量が世界一なんだとか。フィーカの時によく食べるせいでしょうか。1人の大人が年間で食べる量が約15kg。2016年の統計によると、スウェーデン人は1人年間3800クローネ（約49,000円）をチョコやお菓子などの甘い物に使うそうです。

　その割にはほとんどの家庭では小さな子どもには結構厳しくて、お菓子を食べるのは週1回と決めています。その名も"Lördagsgodis（土曜日のお菓子）"。普段の日はお菓子を全くあげません。まあデザートなど別カウントになりますが、基本グミなどのお菓子類は土曜日だけ。子どもの年齢が上がってくると、自分でお菓子を買いに行ったりするのでゆるくはなってくるけれど、それでも基本週1回なのです。

　スウェーデンでもっとも人気のお菓子

「GODIS（ゴーディス）」と言えばグミ。結構ケバケバしい赤青黄色黒と色とりどりで、コーラ瓶、ねずみ、車、熊、さらには吸血鬼っぽい付け歯状だったりと子ども心をくすぐりまくる遊びのあるデザイン。食品アレルギーがある場合でも、量り売りのお菓子コーナーにはそれぞれ含まれるアレルゲン物質が表記されているので一目で分かります。そうそう、スーパーには必ず大きな量り売りのお菓子のコーナーがあって、週末になると紙袋とスコップ片手にその棚の前を真剣な眼差しでウロウロする老若男女が見受けられます。意外に買っているのは大人が多いような気がします。

郊外に行けば「500種類あり！」などの売り文句を謳ったもっとスケールのでかいGODISの店があって、店内は甘い香りが充満。別荘に行く途中によく巨大GODIS屋に寄っていくけれど、子どもは調子に乗って買う割には、旅の途中でお菓子の甘さに気分が悪くなるパターン。実際、そんなに食べられないんですよね。

チョコ好きな私が嬉しいのは、スウェーデンはチョコレートの種類が多くて、カカオの含有量のバリエーションや味も多彩に揃っていること。棚一面バーンと板チョコが揃った光景は壮観と言えましょう。ポテトチップなどのスナック系も充実していて、ハーブのディル味、サワーオニオン味、ピザ味など日本とはちょっと違ったテイストも。チップにつけながら食べるディップの種類も豊富にあります。やっぱり消費量世界一の国だけあって、スーパーのお菓子系が超充実しているスウェーデンです。

Vinter

スウェーデンの冬

長くて、厳しい冬は
家の中で家族が団欒する季節

　最低気温は－20℃前後、日照時間1日6時間という厳しいストックホルムの冬。それでも、北部だとまったく太陽が昇らない期間もあることに比べたらマシなのです。おのずと冬は家の中で過ごすことが中心に。だから家族の絆も強いのかな？

　もちろん子どもたちは冬でも遊びを忘れません。

Vintersporter ウィンタースポーツ

さすがのお国柄、冬になると皆こぞってウィンタースポーツを楽しみます。私は日本で全くウィンタースポーツと無縁の人生を歩んできたもので、スウェーデンに来て12年になる今でもスケートとノルディックスキーをちょっとやったことがある程度。未だにアルペンスキーは未体験だと言えばスウェーデン人には驚かれるけれど、裏を返せば、そのくらいアルペンスキーが一般的だということです。

その点、うちの子ども達は冬をしっかり満喫しています。各地の公共スケート場は無料で開放されているし、屋外のサッカー場は冬の間は水を蒔いて即席スケートリンクに早変わり。そしてさらに寒さが厳しくなると湖が凍って氷の厚さは数十センチにもなり、巨大スケートリンクができあがるのも北欧ならでは。ストックホルムは群島が寄り集まって出来ているので、まわりの湖を滑って遠い町まで移動、なんてこともできちゃうのです。その時は疲れにくい長距離用のエッジの長いスケート靴を使うんだとか。また氷の上に雪が積もると、真っ平のその上でノルディックスキーを楽しむ人もいっぱい。とにかく氷上はスポーツを楽しむ人達の憩いの場所に変わります。

無料開放されるスケートリンク

湖が凍ったら、巨大リンクに！

氷上でノルディックスキーも

真っ平なので滑りやすい

ノルディックスキーは森で楽しむ人も多く、滑った跡で自然とコースができあがっていて、木々の中を滑り進む人達をよく見かけます。起伏のあるコースもまた楽しいのでしょう。

そして一番人気のアルペンスキーも、手軽に近場の小高い丘で滑る人もあれば、雪の多いダーラナ地方や北部、もしくはアルプス方面まで行く人も。学校には2月から3月半ばに一週間のスポーツ休暇というものがあって、その間にウィンタースポーツを楽しむ家族も多いのです。私はスキーはまったくできないし、夫はバイク事故で膝を悪くしてスキーができないので、もっぱら子ども達は親戚に連れて行ってもらってスキー体験。最初はスキー教室に入って教えて貰っていたようですが、すぐに滑れるようになってるあたり、さすが子どもってすごいなあと感心しきり。やっぱり北欧人ならウィンタースポーツは押さえておくべきなんでしょうね。

141

スウェーデンのヘストラで生まれたグローブブランド「HESTLA」のBaby用グローブ

小さい子用と、スピードの出る大きな子ども向きのソリ

長距離スケートの人はリュックに完全防備の人が多い

森近くのカフェにはノルディックスキー板が

Lucia

ルシア祭

毎年 12 月 13 日は聖ルシアを祝うスウェーデンの祝日「Luciadag」です。ろうそくを立てた冠を頭にのせ、白いローブに身を包んだルシアとお付きが、なぜかナポリ民謡の "サンタルチア" を歌いながら行進するお祭りです。なぜルシア祭という名になったのかは諸説あるようですが、キリスト教の聖人ルシアを祝うこと、この日の夜は一年のうちで一番夜が長い日なので、これからの太陽の再生を祝うという事でラテン語で光を表す "LUX（ルクス）" から言葉が派生したという説があります。

私が初めてルシアの扮装を目にした時は、正直まるで『八つ墓村』みたいで悪いジョークかと思いました。白いローブを着て、頭にろうそく数本立てて行進するんですよ？　ちょっと見はゴーストのパレード。今はもう慣れたけれど、外国人が最初に見るとギョッとするはず。Luciatåg と呼ばれる行列では、ルシアに選ばれた女性を先頭に手にろうそくや星の飾りを持ったお供が続きます。従来のルシアは金髪の白人の女性が多かったようですが、最近の風潮で人種にくくりをもたずに選ばれるようになりました。

この日は保育園や学校では、子ども達によるルシアの行進があります。親たちが仕事前に見に行けるようにと早朝からするところが多いようです。長女ヤヤの初めてのルシアは早朝 7 時頃から屋外の雪の積もった寒い中でありました。始まる直前になって手に持つはずのろうそく型ライトを家に忘れてきたことに気づき、号泣し始める娘。私は慌てて家に取りにかえり、子ども達のコーラスを丸々見逃す失態を犯しました。かわいそうなのはヤヤ。せっかくの初ルシアでずっと泣いていたそうで、とても申し訳なく思った苦い思い出です。子ども達のショーを見た後は、暖かい室内に戻ってグロッグ（スパイス入りのホットワイン）とルッセカットを頂きます。そうそう、そのルッセカット（ルシアの猫）というサフラン味のパン。ぐるぐる渦巻いたような独特の形のパンで、家族全員大好きなので毎年手作りします。オーソドックスな形から、粘土細工のように遊びながらオリジナルの形のパンを作って親子でパン作り。家中にサフランのいい香りが漂うと、聖夜が近づいてきたことをしみじみ感じるひとときです。

143

Innan jul クリスマスの準備

やっぱり一大イベントは「JUL」

　一年を通して、やはり一大行事は「JUL（ユール / クリスマス）」。日本で言えば正月に当たるような、家族が一堂に集まる大切な機会です。プロテスタント教徒の多いスウェーデンは、意外にも宗教色がそれほど強くありません。ちゃんとクリスマスの教会のミサに行く人は、信心深い人かたぶん観光客でしょう。12月に入ると街中にイルミネーションが輝き始め、誰もが浮足立った気分になります。

　ストックホルムのクリスマスの風物詩と言えば、老舗デパートのNKのショーウィンドーのデコレーション。毎年テーマが違って趣向を凝らしたウィンドーを見せてくれ、子どもも大人も楽しみにしています。街中のイルミネーションも年々派手になってきています。

　スウェーデンではアドベントといって、イエスキリストの降誕を待つ期間があって、クリスマスまでの4週間の日曜日毎に4本のキャンドルを1本ずつ灯していきます。最初のアドベントの日に、家のクリスマスデコレーションをします。この日は一家総出で窓辺に星形のライトを下げたり、

トを吊り下げます。プレゼントは大したものじゃなくてもいいのです。鉛筆１本、キャンディー１個の時もあれば、毎週のアドベントにはちょっといい物をあげたり。毎朝飛び起きてカレンダーの前に走っていく子どもの姿のカワイイこと！　そのうち大きくなってきて、細々とした物を喜ばなくなったらカレンダー終了です。スウェーデンは24日のイヴに盛大にお祝いをするので、23日の夜になるとツリーの下にプレゼントをせっせと運びます。ツリーの生木はあちこちで売っています。種類によって値段もまちまち。網に入れて持ち帰り、一晩室内の涼しい所に置いておかないと寒暖差で葉っぱが全部落ちてしまいます。そして毎日水やりも必須。室内に木の青々した匂いが充満して室内森林浴の気分です。

藁製のユールボック（クリスマスの山羊）を飾ったりするのも楽しい思い出になります。この時期になると、学校の学童ではクリスマス飾りを作り始めるので、毎年素敵な作品を子ども達が持ち帰ってくるのが楽しみ。

　あと子ども達が小さな時のお楽しみと言えば、ユールカレンダー（アドベントカレンダー）。12月24日まで、１日１個ずつプレゼントがもらえるもので、よくあるのはチョコレートのカレンダーや、レゴやバービーなどのおもちゃのカレンダーで市販されています。我が家はずっと手作りユールカレンダー。私達が昔甥っこに作った布製のカレンダーに、紐を結びつけてプレゼン

枝ぶりや大きさを
見て、自分でコレ！
とツリーを決める
のも楽しみの一つ

Julafton

クリスマスイヴ

"God Jul"
（メリークリスマス）

　スウェーデンではクリスマスは24日の
イヴにお祝いをします。朝起きると子ども
は大急ぎでツリーへ一直線。ずらりと並べ
られたプレゼントを見ると大歓声。しかも
プレゼントを開けるのは、朝食が終わった
あとなので気もそぞろにクリスマスポリッ
ジ（甘い粥）を家族全員で頂くのがお約束。
日本人の私には、砂糖とシナモンかける牛
乳粥はいつまで経っても慣れません。まだ
かまだかと焦る子どもをじらして、ゆっく
り食べる意地悪な親の私たち（笑）。そし
てようやくプレゼントタイムに突入する
と、お互いに順番でプレゼントを渡します。
子どもはサンタさんにプレゼントのお願い
リストをちゃんと靴下に入れていたので、
その中からの希望の一個をもらえます。

　イヴの15時からは、TVで "Kalle Anka（ド
ナルドダック）" のアニメが始まります。

これは1959年以来のスウェーデンの伝統
で、まるで大みそかの紅白のようにどうし
てだか観ないといけないような習慣になっ
ています。

　そして夜になると日本の正月のように、
親族が集まってのクリスマスディナーの始
まりです。この日はキチンと着飾って親戚
宅に集合。アペリティフを終えると、皆で
家の中で手をつないで "ヘイ　サンタのお
じさん達（Hej tomtegubbar）" を歌いなが

ら家中をグルグル回ってダンス！　本来ならツリーの周りで踊るそうだけれど、場所の関係上居間、玄関、食堂を大人も子どももステップをふみながら踊る様子はまるで映画の一場面のようです。続いてクリスマスディナー開始。食卓にはアイロンがぴっちりかけてある真っ白のクロスが掛かり、今夜歌う予定の歌詞カードも用意されています。夕食の途中に大合唱。その度にスコール（乾杯）。私が初めて経験した時は、これぞヨーロッパのクリスマス！と感激しました。子ども達は別に子ども用のテーブルに着いて、ユールムストと言うクリスマスのジュースで乾杯です。最後のデザートはミルクで煮込んだ甘い粥。中にはアーモンドが一粒入っていて、引き当てた人は次

の年に結婚するという言い伝え。

　食後は子ども達がソワソワし始めます。何を待っているのかというとサンタさん。窓から庭先に続く暗い森を眺めていると、奥からこちらに近づいてくる光が見え始めます。目を凝らすと、赤い帽子に羊毛のチョッキを身にまとったサンタが灯をともしたカンテラ片手に雪を踏みしめてやってくるのです。そんな幻想的な光景を目にしたら、そりゃあこどもはサンタさんを信じるに決まっています。フィンランド語なまりのサンタさんは、子どもや大人にもプレゼントを渡すと、また森の方へと帰って行きます。こんな伝統的なクリスマスらしいクリスマスを過ごせて、子ども達は幸せだなあってしみじみ思います。

Hotell

ストックホルムのおすすめホテル

🏠 **セカンドホーム　アパートメンツ**
Second Home Apartments Guldgränd

Guldgränd 5, 118 20 Stockholm
☎+46(0)8-641 4064

地下鉄スルッセン駅まで徒歩3分、その他へのアクセスにも便利な立地にあるアパートホテル。街中にしては珍しく部屋が広く、インテリアもおしゃれ。キッチンには冷蔵庫や調理器具など完備で、小さな食卓もあり。シャワールームも清潔で、TV、アイロン、掃除機なども揃っています。建物内には無料のコインランドリーあり。ただエレベーターが無いのが難点なので、荷物が多い場合は下層階を希望してみても。入口と部屋はコードキーなので、到着前にメールでコードが送られてくるシステム。建物中庭に事務所があるので、10時から16時の間は何か聞いておくこともできます。値段も手頃で、とにかく子連れにはとっても便利なイチオシのホテルです。

1_ ちょっと分かりにくいけれど旗が目印　2_ 鍵を失くす心配もなし　3_ 中庭の事務所　4_ キッチンには必要な物は揃っています　5_ ベッドの横に古いタイルの暖炉が（注：使用不可）　6_ 調味料などは無いので、ご自分で　7_ 明るく清潔なシャワールーム　8_ 広々とした作りに感激。暮らすように滞在する夢も叶います

Hotell ストックホルムのおすすめホテル

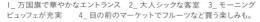

1_ 万国旗で華やかなエントランス　2_ 大人シックな客室　3_ モーニングビュッフェが充実　4_ 目の前のマーケットでフルーツなど買う楽しみも。

150

🏠 ヘイマーケット バイ　スカンディック
Hymarket By Scandic

Hötorget 13-15, 115 57 Stockholm　☎+46(0)8-517 26700

街のど真ん中で、ホテルの目の前にはノーベル賞授与式の行われるコンサートハウスと、屋外マーケットの出る広場。地下鉄の駅も近いし、どこに行くにも抜群の立地です。繁華街にあるけれど、夜は意外と静かなのもポイント高し。レストランも周りにいくつもあるし、子どもが疲れているなら無理せずデパートでお惣菜を買って気軽に部屋で食べるのも良し。元デパートを改装したホテルで、内装はアールデコ調で大人っぽいけれど、新しく清潔でおすすめ。朝食のビュッフェもメニュー豊富で充実しています。ただし部屋が小さめで2〜3人向き。

🏠 ヴィラ　シェルハーゲン
Villa Ka:lhagen

Djurgårdsbrunnsvägen10, 115 27 Stockholm
📞+46(0)8-665 0300

中心地からバスでたった10分の場所にある、自然に近いホテルもお薦め。運河を挟んでユールゴーデン島を対岸に望むホテルは、たった36部屋の隠れ家スポット。ナチュラルで北欧らしい色使いの部屋のインテリアはホッと和めるはず。部屋によってはテラスがあることも。歩いてすぐのところに、子どもに人気の科学博物館や海洋博物館、ポリス博物館もあるのも便利です。ホテル内のレストランはお手頃プライスではないけれど、料理のレベルも高く子連れも勿論OK。但し、周りに店などはまったく無い場所なのでご注意。

1階の部屋なら外にテラス席が。天気のいい季節なら、お庭気分が味わえそう

スウェーデン観光で有名なアイスホテル

🏠 アイスホテル
ICEHOTEL

Marknadsvägen 63, 981 91 Jukkasjärvi
www.icehotel.com（英語）

オーロラツアーなどを見に行く人などに人気なのが、ユッカスヤルビにあるアイスホテル。ラップランドの氷で彫刻家たちが各部屋を作り、毎年12月に作られ、4月には溶けてなくなる芸術的なホテル。アクティビティでは犬ぞりや彫刻体験なども楽しめます。公式サイトでその様子が見られますよ。

🇩🇰 レゴランド
Lalandia Billund Resort

Nordmarksvej 9, 7190 Billund

デンマークと言えば、デザイン大国であると同時にレゴの故郷。本場のレゴランドは 1968 年に南デンマークのビルンという田舎の町に開園したテーマパークで、今では世界各国にあるレゴランドの第 1 号でもあります。子ども 2 人が楽しめそうな年齢になった時に、家族でスウェーデンから車に乗って、フェリーでデンマークに渡り、レゴランドのあるビルンへ。目的はレゴランドと、そのすぐ横にある屋内遊戯＆プール施設のラランディアなので 2 泊の予定。内装がかわいいと評判のレゴホテルは連泊すると結構なお値段になるので、私たちはネットで見つけた隣町の

ファームステイを取りました。キッチンとロフトもついた一軒家で広々としていて子連れにはぴったりのところでした。オーナー夫妻は英語もスウェーデン語も通じなくて困ったけれど、身振り手振りで色々教えてくれて、朝になると飼っている動物たちを子ども達に見せてくれて、朝どりの卵を集める手伝いをさせてくれたりとホテルとは違う体験ができ

🇩🇰 ラランディア ビルン リゾート
Lalandia Billund Resort

Ellehammers Alle 3 Billund

て良かったです。

　この日はあいにく雨模様、室内施設である
ラランディアの駐車場は長蛇の列。それなら
反対にレゴランドは人が少ないはずと狙って
行くと大当たり。行列も無く入園も出来たう
え、色んなアトラクションも待ち時間もなく
どんどん乗れました。雨合羽を着ていたもの
の、もともと水に濡れるアトラクションが多
くて、雨に濡れても関係ないくらい。その為
に、園内には人が入れる乾燥ボックスなるも
のが設置してあり、まるで巨大ドライヤーの
ような仕掛けで数人が一度に乾かせるような
ものもありました。アトラクションはやや低
めの年齢層向きだったので、年の大きな子に
は物足りないかも。有名なレゴで作られた世
界の街並みや建物はもちろん素晴らしいけれ
ど、園内のあまり人目につかないようなとこ
ろにも細かな遊び心のある仕掛けがあったり
して、ランドを作っている人達自身が楽しん
でいる様子が目に浮かびました。

　2017 年、レゴの本社にすべてが体験でき
る見た目もそのままブロックで作ったような
レゴハウスが登場しました。レゴファンなら
行ってみたくなるような体験型施設。もとも
とは家族経営の家具店から始まったレゴ。北
欧の人口数千人のこの小さな田舎町から、世
界に誇るロングセラーのおもちゃが始まった
と思うと、なんだかおもしろいですね。

153

🇫🇮 **ムーミンワールド**
moominworld

Kailo, 21100 Naantali

　私の子どもの頃の思い出の一冊と言えばムーミンの本。その時同居していた叔母が、夜になると薄暗い屋根裏で私と姉に影のあるファンタジーの世界を読み聞かせてくれました。特に緻密なモノクロの挿絵がおどろおどろしく、怖いながらも異国の不思議なムーミンの世界に魅せられていました。そんな訳で、ムーミンワールド近くの港町 Åbo へ大型フェリーで出発。船内は子どもが遊ぶ施設もあるし、ファミリー向けのレストランもあるので退屈せずに過ごせておすすめ。フィンランドに着いた時はすでに夜。その日はホテル泊で、次の日にバスに乗ってナーンタリへ。桟橋で渡れる小島全部がムーミンワールド。谷じゃなくって島。思ったより小さなサイズで、「へ？これだけ？」と一瞬戸惑います。

　島へ渡って開園と同時に入ると、一緒にバスに乗っていたお兄さんが売店のドアを開けたりして、のんびりした勤務時間（笑）。青々

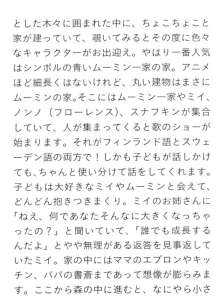

とした木々に囲まれた中に、ちょこちょこと家が建っていて、覗いてみるとその度に色々なキャラクターがお出迎え。やはり一番人気はシンボルの青いムーミン一家の家。アニメほど細長くはないけれど、丸い建物はまさにムーミンの家。そこにはムーミン一家やミイ、ノンノ（フローレンス）、スナフキンが集合していて、人が集まってくると歌のショーが始まります。それがフィンランド語とスウェーデン語の両方で！しかも子どもが話しかけても、ちゃんと使い分けて話をしてくれます。子どもは大好きなミイやムーミンと会えて、どんどん抱きつきまくり。ミイのお姉さんに「ねえ、何であなたそんなに大きくなっちゃったの？」と聞いていて、「誰でも成長するんだよ」とやや無理がある返答を見事返していたミイ。家の中にはママのエプロンやキッチン、パパの書斎まであって想像が膨らみます。ここから森の中に進むと、なにやら小さ

な怪しい小屋が。内部が薄暗いそこには、発光するニョロニョロと子ども達が大好きなモランの人形が（ちっとも動いたりしないのが残念だけど）。そのうち水辺に出ると、そこに突き出た小さな水浴び小屋にボーダーシャツを着たトゥーティッキ（おしゃまさん）が何かの作業中。彼女は手先が器用なので、その場で子どもに好きな色を選ばせて、刺繍糸を編んだブレスレットを作ってくれました。他にも道を歩いていると、優しそうなフィリフヨンカに出会ったりと島内では自然な形で色んなキャラに出会えて、まるで本当のムーミンの世界にお邪魔している気分です。小さな園内なので、一日中いる必要も無く、そのままた港でストックホルム行きのフェリーに乗り込み船内泊。行きも帰りも冒険気分も味わえて、主役の子ども達はムーミンの世界を充分に楽しんだみたいです。

　自然がいっぱいの北欧三国の中でも、やはりノルウェーの広大な景色は格別です。なんたってスケールが桁違い。深い淵をふくんだ大らかなフィヨルドや、山肌から伝い出る滝を見ると、自然の素晴らしさだけじゃなく、同時にどうしようもない怖さが肌に伝わってきます。写真ではなく、実際にその光景を子ども達に見せたいですね。私たちが行った時はレンタカーを使い、気の向くままにドライブしました。氷河が見えるところや急流を見つけては車を停めたり、道端にある小屋で甘い山羊のチーズをお土産に買ったり、自由に楽しめるところがレンタカー移動の醍醐味。スターヴ教会と呼ばれる、ちょっと日本の古いお寺を思わせるような中世の木造の教会がところどころに残っていて、特に建築に興味なくても一見の価値あり。もし時間が許

せば、山間部を通っていくフロム鉄道に乗るのもとても趣があっておすすめです。世界で最も美しい鉄道の旅といわれるほど。夏でも山肌には雪が残っていて、大きな滝の横を通ったりとダイナミックな景観を楽しめること間違いなしです。

　子連れで一味違った旅を楽しみたかったら、キャンプ場の貸しコテージもおもしろいかもしれません。簡素な小屋っぽいところから、ゴージャスなところまでピンキリ。ただ気を付けるべきこととして、夏でも防寒対策はしていった方が賢明でしょう。他の北欧諸国では体験できない、雄大な自然を満喫できる国がノルウェー。『アナと雪の女王』の舞台となった神秘的な風景を味えわうのが一番です。天空で瞬くオーロラもやはりノルウェーが有名です。

🇳🇴 **フロム鉄道**
Flåmsbana

A-Feltvegen 11, 5743 Flåm

157

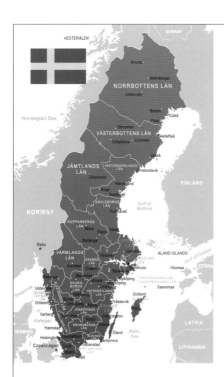

［スウェーデンの基本情報］

首都　ストックホルム

面積　45万平方キロメートル（日本の約1.2倍）

人口　約1,022万人

気候　春（4〜5月）5〜10℃、夏（6〜8月）15〜20℃、
秋（9〜10月）5〜10℃、冬（11〜3月）-5〜0℃

ビザ　6ヶ月間で90日以内の滞在は査証不要

通貨　1クローナ=11〜12円前後（2019年12月）
クレジットカードが主なので、
現金では買い物できない場合も。

労働時間　1日8時間（6時間を推奨）

言語　スウェーデン語

民族　スウェーデン人、フィンランド人、
北部のラップランド地方にはサーミ人
王室がある国

日本からのアクセス
ヨーロッパ内の都市にて乗り換えで飛行時間は約
12.5〜15時間程度。
2020年夏ダイヤ期間中（3月29日〜10月24日）に全
日本空輸株式会社（ANA）が羽田〜ストックホルム
線を開設予定。

［スウェーデンの基礎知識］

ノーベル賞
人類のためになる偉大な発明や作品を作り出した人に贈られる世界的な賞。授賞式は12月10日に平和賞を除く5部門がストックホルムのコンサートホールで行われる。

ポピュラーな家庭料理
ミートボール、アンチョビ入りポテトグラタン(ヤンソンの誘惑)、ニシンの酢漬け、スモーガスボード、シナモンロール、セムラなど。

ダーラナホース
お土産によく買われる幸運を呼ぶといわれる馬。現地では「ダーラヘスト」と呼ばれる、ダーラナ地方発祥の伝統工芸品。古くは子どもの玩具。

セーデルマイム
ストックホルムの若者やアーティストに人気の街。おしゃれな店やカフェが多く立ち並ぶエリア。

オーロラ
ラップランド地方は北極圏に位置する街。スウェーデンの北極圏最大の街キルナやアビスコなどでオーロラが見られる。

［覚えておくと便利な一言］

こんにちは	HEJ (ヘイ)
おはよう	GOD MORGON (ゴモロン)
さようなら	HEJDÅ (ヘイドー)
おやすみなさい	GOD NATT (ゴナットゥ)
ありがとう	TACK (タック)
すみません	URSÄKTA (ウシェクタ)
ごめんね	FÖRLÅT (フェロート)
はい	JA (ヤー)
いいえ	NEJ (ネイ)
美味しい!	GOTT ! (ゴット!)
乾杯!	SKÅL ! (スコール!)

かわいい!	SÖT ! (セーット!)
助けて!	HJÄLP ! (イェルプ!)
またね!	VI SES (ヴィーセース)
あら!	OJ ! (オイ)

これいくらですか?
VAD KOSTAR DET? (ヴァ コスタ デ?)

私は日本人です(女の場合)
JAG ÄR JAPANSKA (ヤーエー ヤポンスカ)

私の名前は○○です。
JAG HETER ○○ (ヤーヘーテル○○)

井浦 ふみ

福岡県出身。美大卒業後、デコレーターとして働いた後に渡仏。南仏で現在の夫と出会い、パリ生活五年後にスウェーデンに移住。一時期は北欧雑貨のネットショップKikki Stockholmを経営していたが、現在は現地保育園に勤務。旅行と食べることが何よりも好き

[編 集] 山下有子
[デザイン] 山本弥生

こどもと暮らす 北欧スウェーデン

2020年 1月21日　第1刷発行

発 行 人　山下有子

発　　　行　有限会社マイルスタッフ
　　　　　　〒420-0865 静岡県静岡市葵区東草深町22-5 2F
　　　　　　TEL:054-248-4202

発　　　売　株式会社インプレス
　　　　　　〒101-0051 東京都千代田区神田神保町一丁目105番地

印刷・製本　株式会社シナノパブリッシングプレス

乱丁本・落丁本のお取り換えに関するお問い合わせ先
インプレス　カスタマーセンター
TEL:03-6837-5016　FAX:03-6837-5023
service@impress.co.jp(受付時間／10:00〜12:00、13:00〜17:30 土日、祝日を除く)
乱丁本・落丁本はお手数ですがインプレスカスタマーセンターまでお送りください。
送料弊社負担にてお取り替えさせていただきます。
但し、古書店で購入されたものについてはお取り替えできません。

書店／販売店の注文受付
インプレス　受注センター　TEL:048-449-8040　FAX:048-449-8041
株式会社インプレス　出版営業部
TEL:03-6837-4635